快递人生

石雷蒙 著

一份万人梦寐以求的工作，穿越时空，传递温暖与希望，考验人性，救赎绝望的灵魂。

山东人民出版社

全国百佳图书出版单位　国家一级出版社

图书在版编目（ＣＩＰ）数据

快递人生 / 石雷蒙著 . -- 济南 : 山东人民出版社，
2015.3

ISBN 978-7-209-08835-0

Ⅰ.①快… Ⅱ.①石… Ⅲ.①长篇小说—中国—当
代 Ⅳ.① I247.5

中国版本图书馆 CIP 数据核字 (2015) 第 022806 号

责任编辑：王　路　张洪雪

快递人生

石雷蒙　著

山东出版传媒股份有限公司
山东人民出版社出版发行
社　址 : 济南市经九路胜利大街 39 号　邮　编 : 250001
网　址 : http://www.sd-book.com.cn
发行部 : (0531) 82098027　82098028
新华书店经销
莱芜市华立印务有限公司

规　格　16 开（160mm × 230mm）
印　张　16
字　数　210 千字
版　次　2015 年 3 月第 1 版
印　次　2015 年 3 月第 1 次
ISBN　ISBN 978-7-209-08835-0
定　价　28.00 元

目 录

第一章
错乱入行

刘禹州心中哀怨，对自己没能抵抗住金钱的诱惑很是不齿。但很快又找到借口：这怎么能怨我？面对金钱谁敢说自己没想法？何况我一个刚毕业一年的大学生。

第二章
灵魂契约
/ 37

"我知道。"黑桃八点点头，"我们不杀人。我们只是送快递的。好了，有了这笔进账，这个月的业务额会好得多，Q姐应该高兴一点儿了吧。"

第三章
独当一面
/ 75

刘禹州掏出了手机，手机振动不停，屏幕上面不断地显示出信息——"侦测到可视范围内，存在与业务无关者，提醒机主进行清场。"

第四章

职场逃亡

/ 161

　　"到底他是怎么做到的？"负责调查这件爆炸案的 FBI 高级探员和当地警方联合成立破案小组。小组特别邀请了一直在追踪蜀山先生的 FBI 探员老汤姆的儿子小汤姆参加。这个同样是 FBI 成员的年轻人发誓要把涉嫌杀害自己父亲的凶手绳之以法。

第五章
殊途同归
/ 225

　　刘禹州端详着手中黑桃八最后交给他的那部手机。屏幕上，同样显示着一段文字，与那段墓志铭一模一样。这，大概是师傅一生的座右铭吧。

命运交给你的事情，不推搪，不怯懦，不躲避，稳妥面对，尽力去做，方得人生之大圆满。

第一章

错乱入行

刘禹州心中哀怨，对自己没能抵抗住金
钱的诱惑很是不齿。但很快又找到借口：这怎
么能怨我？面对金钱谁敢说自己没想法？何况
我一个刚毕业一年的大学生。

1

"人生快递！快递人生！

我们，传递希望的专业人士！

服务热线：4008-517-527

本公司诚邀优秀人才加盟，欢迎致电垂询……"

当刘禹州睁开眼，朦胧之间，这样一幅巨大的广告牌就横亘在他眼前。黄色的底，红黑两色的大字，直刺双眼，让人触目惊心。

他吓了一跳，赶紧闭上眼，片刻后，耳边传来了嘈杂的人声：

"醒过来了，他醒过来了。"

"啊，太好了，太好了！这个小伙子没事。"

"真是好人呐，还是先送医院吧！"

"警察呢，警察来了吗？"

"那个小孩……小孩没事，就是吓着了。"

"大家让让，让让，警察来了，让警察过去。"

……

刘禹州晃了晃还有些沉重的脑袋，闭上双眼，努力让意识逐渐回到自己的身体里，这才明白自己当下的处境。

他刚才奋不顾身地接住了一个孩子，一个从六层楼的阳台上摔落的小孩。

小孩被他用身体护着，毫发无损。他却被巨大的的冲击力砸晕了，陷入昏迷。

"哥们儿这也算是见义勇为了吧！"刘禹州暗自苦笑，再度晃了晃昏沉的脑袋，睁开了眼。

一片晃动的人头。

各种带着关切表情的脸，将他的视线堵得严严实实。

"那个广告牌呢？怎么不见了？"

他很奇怪，难道刚才那个巨大的广告牌是错觉？他茫然而艰难地扭动脖颈儿，向四外环视。

"不要动！"有人关切地用手拍了拍他说，"不要动，千万不要动，这就送你上医院。"

恍惚间，刘禹州看到了一个美女，两人近到几乎脸对脸的地步，美女头戴一顶帽子，帽子上银色的警徽在阳光下闪闪发亮。

"她怎么当警察了？"刘禹州很纳闷。这个美女不是那个自己一直在暗恋的某位明星吗？难道是自己看错了？

刘禹州很想问问那个小孩的情况，但随之而来的一阵眩晕，让他再度陷入了昏迷之中。

"确定是这里？"

刘禹州站在楼道里，疑惑地看着斜上方那紧锁的门。空荡荡的楼道内，一溜儿水泥楼梯斜斜向上。楼梯尽头只有一道铁皮门。

仔细看了三遍，确定这道门一定通往楼顶平台——门上挂着牌子：通往天台，闲人勿进。刘禹州心底忍不住泛起一丝怒气——这是闹哪样！

他走上楼梯，用手拉着门把手试了试，没错，锁着呢，门上一挂冰冷的三环牌铁锁无情地拒绝了刘禹州的试探。"小子，你的开锁术不好使，等级太低了。"

刘禹州愤恨地拿出手机，又一次拨打了那个古怪的号码——4008517527。

电话接通了，还是那个平淡无奇的中年女声接线："人生快递，为您服务。"

"您好，那个……那个我是来面试的。对对，就是我，您真客气，还记得我，上次也是您接的……我想确认一下，您那儿的地址是某某写字楼对吧？那就对了。对对，我已经到了，不过……这里好像没有五楼啊，只有四层！"

"我是从楼梯爬上来的，对，是楼梯。我上下走了两趟了，真没有啊……您看我就在顶层楼道，再上去就是天台，而且楼门锁着呢。"

刘禹州一边说，一边用手拉动那门把手，故意让门锁碰撞发出"哐当"的响声，证明自己说的没错。

"嗯？推门？"刘禹州小心地说，"可是门上有锁……"说完他有些后悔，自己该不是被人给耍了吧，这人真是无聊啊。你说你闲着没事搞这些干吗，欺骗我一个找工作的大学生好玩吗？

"叫你推你就推。"电话里那个中年女性不耐烦地补充了一句，"推另一边！"

"哦。"刘禹州忍气吞声，赌气似的用手按在门的门轴一侧，用力一推，门顺势而开，打开了一道缝隙。

刘禹州吓了一跳，如果不是身后有台阶，他肯定是要后退三步的。

从门缝中透射出一团氤氲的白雾，怎么看怎么不像个正常地方。刘禹州左看看，右看看，一时间有些恍然，不知道自己是不是身处什么搞怪的游戏或者是电视节目里。

他回头，试图找那隐藏的摄像头，但什么也没发现。空荡荡的墙壁上，高悬着"严禁吸烟"的标识，红字威严。

"快点进来，你磨蹭什么。"电话里那个女声响起。

刘禹州犹豫了一下，最终还是下定决心，赶紧一步跨进了门里。

那道门在他迈入之后，就迅速关闭，现场恢复了原状，仿佛从来也没有人来过一样。如果刘禹州就此消失，那么本文就是一篇穿越小说的开始。

不过，它不是。

刘禹州睁开眼，发现自己站在一间大办公室里。

宽敞的办公室进深约二十米，左右宽四十米，四边围绕着深色的玻璃幕墙。和煦的阳光从窗外透射进来，照得办公室内通透明亮。如果没看错，这个地方跟方才自己从楼外看到的地方绝对不是同一栋楼。那栋建于上个世纪八十年代的四层小楼可没有什么玻璃幕墙。

办公室里分布着几排宽大的办公隔断，大约有十五六个工位，里面坐着忙碌的办公人员。办公环境，看起来还不错。

在他左手边是一个临时会客处，摆放着两张圆桌和几把椅子。蝴蝶状的椅子颜色很显眼，形状新潮，很有现代美学特点。右侧是一道半弧形的前台，有五米多长，一米多高。前台后的、淡银色的墙面上悬挂着公司的"LOGO"——人生快递。四个大篆体字，红底金边，十分气派。

前台办公用品一应俱全，就是没有人。深棕色的台面上摆放着一个青铜小鼎，圆腹三足，足侧兽面饰，鼎身阴刻饕餮雷纹，斑驳古意，深沉厚重之意扑面而来，一看就不是凡物。

视线再转回正面。

"哎呀！"刘禹州被突然出现在眼前的人头吓了一大跳。

视线中的中年妇女很不屑地看着他，用手推了推鼻梁上的黑框眼镜："鬼叫什么？"

"我……我说大姐，你这样……"刘禹州惊魂未定地说道，心怦怦直跳。

这个一身黑色职业装的中年妇女看上去大约四十岁的样子，个子不高，身材保持得不错，皮肤细嫩，面貌姣好，年轻时一定是个美女。她上下打量着刘禹州，面无表情地说："你就是刘禹州？"

"嗯，是我。"

"来应聘？"

"对，我是……"

"跟我来吧。"黑衣女不管不顾地转身就走。

刘禹州把自己的背包挪到身前，赶紧跟上，眼角余光不住地四处打量，一副谨小慎微的样子。

女人带着他从右侧一条宽敞的通道中穿过，向里面走去。整个办公区里有不少人，有男有女，穿着打扮也都很随意。可让刘禹州感到诡异的是他们的年纪都不小，满头白发，皱纹堆积，怎么看都应该退休了。

这是什么意思？老年人活动站？看起来不像，没有麻将桌、康乐棋啥的。好在这些老人看起来都慈眉善目的，这让他感到一丝心安。刘禹州暗暗吐了口气，被那扇古怪的门所引发的种种不安淡化了许多。我就说嘛，穿越这种事情怎么可能轮到我。这地方虽然古怪，但是，一个快递公司啊，跟那种玄幻的东西应该有点儿距离吧。

他忍不住又回头看看来路，主要是看看刚才进来的那道门。门还在，只不过从这边看去，门的形状和规格跟从外边看的那种楼道门有很大不同——豪华的实木门扇，由木质的门框镶嵌包裹。

"恶趣味！"刘禹州只能这么归结，"这个公司的老板有恶搞的趣味。"

一个不存在的第五层楼，一个反向开启的楼道门。这家伙是灵异小说看多了吧，以为这样就能吓到我？或者这是一种潜在的应聘考验？不对，还有第三种灵异事物——就是那些坐在隔断中的老人。从刘禹州进门到现在，这些人就没说过一句话，甚至没有人关注他，好像他不存在一样，大家似乎都在努力地伏案工作。这古怪的办公室里安静得出奇。

好吧好吧，随便你们怎么搞，这个单位还是不来为妙。刘禹州心底已经打定了主意：待会儿简单地对付几句就告辞走人，赶紧另谋他处。找工作嘛，还不得多次尝试？下午还有个超市文员，可以去面试呢。

黑衣女全然没有想到这个刚进门的小伙子已经打定主意要撤退，

带着刘禹州径自走进了一间独立的办公室。这个办公室一看就是主管人员待的地方，面积不小，正中央摆放着一块青黑色的巨石山子。山子上雕刻着无数人物，看起来有点儿眼熟——对了，好像是国宝大禹治水玉山的样子。从石质上看，这块巨石居然也是一种很罕见的玉料，还是非常完整的一块。对玉石略有研究的刘禹州断定，这块山子无论从哪个角度看，都可以算国宝级的了。

山子后面是一张大办公桌，上面有电脑，堆放着各种文件，显得很凌乱，一点儿不像老板办公的地方，老板的办公桌应该很干净，要是老板的桌子这么乱，只能说明这个公司经营状况不良。

那黑衣女自己走到大办公桌后面坐下，抬头看一眼傻站在门口的刘禹州，微微皱眉，抬手示意道："进来坐呀，有什么问题吗？"

刘禹州依言坐到办公桌对面的椅子上，有些不太肯定，反问道："请问，您是……"

他突然想到：难道这个女人不是接待员，而是老板？这似乎……有些太奇怪了。

"你可以称呼我 Q 姐。"女人微微抬起下巴，用修长的手指挑了一下鬓边的短发，向后梳拢，姿态优美，"没错，我就是这里的老大，和你通话的也是我。我们这里没有闲杂人员，怎么，你很惊奇？"

"哦，这个……咳咳，贵公司还真是精干高效……"刘禹州不知道该说什么，心想外边那些老家伙都不算闲杂人员？

"填个表吧。"过了一会儿，相面完毕的 Q 姐随手从桌上一大堆乱七八糟的文件中扯出一张表格，递到刘禹州面前。

刘禹州默默地接过，刷刷地开始填写。这个程序他了解，不过一般都是前台来做，老板亲自接待，真是难得。

表格很普通，就是那种到处都可以见到的个人简历表，右下角印着红色的小字：人生快递，快递人生。

姓名：刘禹州

年龄：22

性别：男

学历：本科

籍贯：河南

专业：营销学

毕业学校：××大学

联系电话：189……

家庭成员：父母

有何特长：这个必须有

受过何种奖励：这个……可以有

有何病史：这个真没有

现住址：××街××号××楼

……

填写到最后，刘禹州郑重地签上自己的大名，长出一口气。握笔的手指传来一丝酸麻，他也没在意。就打算简单说两句"这地方不适合我"什么的告辞走人。坐到现在，起码的职场礼节算是尽到了吧。

"好了？"Q姐似乎一直在电脑前忙着什么，不时抬眼观察着他，见他写完，淡淡地问了一句。

"好了。"刘禹州答道，"那个我——"

"嗯，从现在起你就是我们公司的一员了，恭喜你。"Q姐的声音抢先响起，语气不容置疑。

"啊？什么？"刘禹州一口气憋住，呛得连连咳嗽。

刘禹州盯着Q姐的脸看了好半天，才确认这不是自己的幻觉，刚才那句话是她说的。

"可是我……我还不知道贵公司要招聘什么岗位，您看我的条件……我觉得是不是草率了些？"刘禹州小心翼翼地问。

"没问题。"Q姐笑着指指刘禹州，再指指办公桌，"你能进到这里，就说明你是合适的。"说完轻轻一挥手，毫不在意地说，"再说，你不是已经签了试用合同了吗？"

"啊？"刘禹州顺着她手指的方向，看到了自己刚才填写的那张表，"不会吧，这个不是张普通的报名表吗？"

"看背面！"Q姐提醒了一句。

刘禹州伸手把表格翻过来，顿时头一晕——背面密密麻麻地写着一行行小字，从上到下怕有个百十来条。头一条就让他血压升到一百五：我志愿加入人生快递公司，遵守公司纪律，保守公司秘密，服从公司一切业务安排，为公司的事业奋斗终生！

"喂喂，这个玩笑开得有点过啊！"刘禹州忍不住站起来，情绪有些激动。

"月薪五千，人民币！"Q姐的这句话，比最高级的心灵平静术还管用。

刘禹州又缓缓坐下，小心地问："那……那……公司需要我干吗？"

说实话，五千月薪对刚毕业的刘禹州来说是个非常具有诱惑力的条件。现在有多少公司都难求实习机会，更别说谈薪资了。

Q姐看了他一眼，笑眯眯的神情有些古怪，像是看着爪下老鼠的猫："我们是快递公司，当然是送快递了。"

"送快递？"刘禹州眨眨眼，很无辜地看着Q姐，心想我好歹也是个正牌的大学生，你让我送快递？就没有个办公室文员啥的职务吗？

"当然。不然你以为要雇佣你来干吗？"Q姐回答得理所当然，反问道，"你是怎么得到公司招聘信息的？谁介绍的？难道就没有人跟你说清楚？"

"这个信息……"刘禹州回忆了一下，有些不确定地说，"我好像……好像是看到一个大的广告牌，就是立在大楼顶上的那种大牌子。上面有个招聘电话，我就试着打了。没有谁介绍，有什么问题吗？"

Q姐皱皱眉，伸手推了一下眼镜框，又恢复了那种古井不波的神态，随意地点点头："看来是有些状况。按道理说，我们引进新人，一般都需要介绍人。不过也没关系，我们的事业在不断发展，引进人才的方式也应该多元化一些。既然你已经加盟本公司，那就要安心工作。恭喜你小伙子，你叫刘禹州是吧，小刘，从此你的人生将与众不同！"

刘禹州没敢接这个话茬，总觉得脊梁骨凉飕飕的。不过是送快递而已啊，怎么感觉像是要去拯救全人类？还什么与众不同？罢了，走一步看一步吧，五千块呢，不少了。

"明天开始正式上班，不要迟到。"Q姐一句话说完，就把刘禹州打发出来了。

刘禹州怀揣着不安的心，目不斜视，一路走出去。路过前台，他瞄了一眼——唉！连个漂亮美眉也没有，而且整个公司的环境和气氛都这么古怪。他还是想好好考虑一下。

推开公司大门，眼前一花，自己又站在了那个空荡荡的楼道里。回头看看，还是那道挂着大锁的铁皮门，上面挂着小牌子——通往天台，闲人勿进！一把三环大锁冰冷地炫耀着自己坚硬的身体。

自己刚才不是在做梦？

刘禹州拍了拍脸颊，手劲稍微大了些，疼得一咧嘴。

2

晚上七点，刘禹州拖着疲惫的身子回到了自己住的地方，一栋位于东二环附近老居民区的六层楼。二单元三楼的一室一厅，月租金一千五。房东老太太是一个亲戚介绍的，算是友情价。不然，这个地段怎么着也得三千。

从去年六月份大学毕业离开学校将近一年多的时间，刘禹州就在这个略显破旧的居民楼里过着标准宅男的生活。这两个月来，远在千里之外的父母时常打来电话，嘘寒问暖，言下大有劝他早日还乡的意思。但刘禹州是个执着的人，他一直念叨着天生我材必有用，决定留在这个都市里，去追逐自己的梦想。

梦想是什么？刘禹州也说不清楚，大概就是有一处自家的房子，累的时候可以停下来歇息吧。梦想是丰满的，现实是骨感的。求职连番受挫，刘禹州不断调低自己的人生目标，不断给自己日渐柔软的膝盖和谦卑的笑脸寻找理由。直到花光了自己的全部积蓄，大哭一场后，他厚着脸皮向自己的父母伸手。就在三天前，父亲给他寄来两千块钱，至少够交下月房钱的。

刘禹州进了客厅，把背包扔在桌子上，三两下脱了个光膀子，打开冰箱，拿出一瓶喝了一半的矿泉水，咕咚咕咚地喝了下去。

下午的应聘不是很顺利。那个超市的人事主管居然问他做不做保安！

俺身子强壮是不假，可也不至于去做保安吧。算了，再说上班的地方也远了点儿，不考虑。

那么，明天到底要不要去那家奇怪的什么人生快递公司上班？

刘禹州有些纠结，那地方太诡异了，想想都有点发毛，要是还有选择，刘禹州肯定不考虑那里。俗话说"君子不立于危墙之下"，不管多想赚钱，也不能把自己置身于险地。可问题是，马上要交房租了，剩下的五百，吃饭都成了问题。唉！真是的，咱这刚踏入社会的大学生就是不好混，难道还得向家里伸手？早知道就不要租房子，跟同学一起接着混学校的宿舍了！

在刘禹州思考是去卖血还是捐精的时候，耳边传来了敲门声。

刘禹州拎着矿泉水瓶子打开房门，迎面一道亮丽的身影顿时晃花了他的眼——居然是一个漂亮的女警察。

她姓林，但具体叫什么，刘禹州就不清楚了。他之所以认识她，还是当日自己救人昏迷，在医院清醒后，正是这位林警官来给他做的笔录。当时她的样子就深深地印刻在了刘禹州那青春寂寞的心底，虽然那时候刘禹州还是迷迷糊糊的，身体十分虚弱。只不过，从医院出来后的这几天刘禹州都忙着找工作，跟这位女警再也无缘。这点少年爱慕也就算是青春萌动的一点佐料，稍微拌拌就着啤酒下肚，不再泛起一丝涟漪。却不曾想，今日还有缘再见。这下子把刘禹州激动的，要说没点啥联想，那怎么对得起这些年看的那些青春小说？一边故作手忙脚乱地穿衣服，一边暗暗得意地想：哼哼，本少爷这一身腱子肉，咋样，小妞你还不萌动点春心？

这时候，一个小小的身影从林警官身后闪出，一下子扑到刘禹州身边，抱住了他的大腿。

这时刘禹州脑子里居然回想起当年中学语文课本里的文章——马克·吐温的小说《竞选州长》。

我可啥也没干！

抱着他大腿的，是个年龄大约六岁的小女孩，穿着一件白色的小褂，身子瘦瘦小小的，头显得很大。小女孩有黑黑的齐耳短发，粉嫩小脸上洋溢着笑容，热切地仰望着他。一双黑白分明的大眼睛满是幸福的泪水，仿佛见到许久未见的亲人。

"哦，是你呀小朋友。"刘禹州认出来了，这不就是那个被自己救下的小女孩吗？虽然当时情况混乱，自己也就是匆匆看了一眼便晕过去了，但这个小家伙的相貌却令人印象深刻。

"怎么，小朋友你没事了？"刘禹州摸着小女孩的头，心里洋溢着一种喜悦。

"呜呜……"小女孩嘴里呜呜地嘟囔着，极力想说什么，却始终说不出来。

刘禹州这下有些明白了，微微皱眉，遗憾地看看门口的林警官。

林警官冲他点点头，示意道："你好，小刘。苏苏不能说话，不过她一定要来看你，我就带她来了。怎么样，你身体好了吗？"

宾主落座，一番介绍。小林警官名叫林巧儿，二十四岁，正牌的警官大学毕业生，在本地派出所上班，家庭条件良好等等。刘禹州充分展示了他在交谈方面的素养。

刘禹州现在才知道，原来这个小女孩是被人贩子拐卖的受害者。

获救当天，她和另外三名小孩被人贩子关在那栋居民楼里。也是这人贩子一时疏忽，让这个小女孩觅得机会，偷跑上阳台打算呼救。只可惜，这小女孩偏偏是个哑巴，呼喊半天，也没有人搭理。万分焦急的她一不小心，就从阳台上摔落出去。

刘禹州这个大好青年正好路过楼下，将她救下。接着，警察顺藤摸瓜，将那一伙人贩子一网打尽，同时还解救出其他三名被拐卖的儿童。这个功劳，多少还得算上刘禹州一份。

"都不知道她真名叫什么，其他几个孩子都叫她苏苏，我们也就这么称呼她。"林警官心疼地抚摸着小女孩瘦小的肩膀说，"现在，其他孩子都被爹妈接回去了，就剩下苏苏，先暂时跟着我生活，我们正在全力寻找她的家人。只可惜，她……不会说话，有点儿困难。这几天她一直想来看你，我又老加班，没抽出空，正好今天晚上没事就带她来了……苏苏，把你画的画给小刘叔叔看看。苏苏爱画画，她想干什么都用画来表达。"

苏苏乖巧地坐在两人中间，小手牵着刘禹州的衣角。听了林警官的话，苏苏立刻从自己的小背包里献宝似的掏出一个大本递到刘禹州眼前，满眼的期盼。

刘禹州笑着打开画本，里面一页一页的都是画，黑白的、彩色的，充满了童趣。翻到最后面几页，有一页上就画着一个长手长脚的四方大人伸手接住一个小孩，背景是一栋花花的高楼。刘禹州有点儿忍俊不禁，这个四方体就是自己吗？那个小孩，穿着花裙子，梳着两条小麻花辫，是苏苏吧。

再后面一页，是这个"四方体兄"拉着那个小人儿在楼底下散步！

刘禹州心底一暖，暗自想到：哥们儿我这次真是很有成就感啊。

可他再往那画面上一扫，忍不住惊叫一声，险些把画本扔了。

在那楼顶上，赫然画着一个大大的牌子，牌子上写着一串数字：4008517527，数字上还模模糊糊地涂抹着四个方块，显然苏苏还不识字，没有把那"人生快递"四个字摹写下来。

"你怎么了？"林警官奇怪地看着刘禹州。刘禹州的样子就像被什么东西吓到，看起来很恐慌。

"没……没啥。"刘禹州安定一下心神，指指那个牌子，问苏苏，"苏苏，你看到这个牌子了吗？"

苏苏点点头，嘴里呜呜啊啊地说着什么，又摇摇小手，做一个飞的手势。她的一系列行为让林警官一头雾水，但刘禹州却再次紧张起来，他隐约觉得人生快递公司一定有些蹊跷。

面试回来后，他又去看见招聘信息的地方看了一次，但那块牌子上是一家著名的连锁酒店的广告。而且，据说至少在那里立了有几个月。但为什么只有他看见那条招聘信息了呢？他想了半天也没想明白。

苏苏的出现，打消了他的疑虑——看见那条信息的不只是他一个人。这到底是怎么回事？刘禹州脑子里一团乱麻。

他都不知道之后自己说了些什么，又是怎么把林警官和小苏苏送走的。总之，林警官走时，看他的眼光很是奇怪。只有小苏苏还是依依不舍，拉着他的手呜呜啊啊地说个不停。

当晚，刘禹州彻底失眠。

3

太阳光晶亮亮，雄鸡唱三唱。

花儿正开放，鸟儿忙梳妆。

小喜鹊盖新房，小蜜蜂采蜜忙。

幸福的生活哪里来，要靠劳动来创造。

……

伴随着《小猫钓鱼》的主题曲，清晨六点，只睡了一个小时的刘禹州就被闹钟叫醒了。他从床上坐起来，看看自己，再看看四下，还好，还在自家床上。他活动了一下四肢，身体没有问题，虽然只睡了一个小时，但仗着年纪轻、精力旺，依旧生龙活虎。就是昨晚没有吃饭，肚子饿得发慌。

青青的叶红红的花，小蝴蝶爱玩耍，

不爱劳动不学习，

我们大家不学他，不学他。

……

"啪！"刘禹州把手机闹钟关掉，好吧，要靠劳动来创造！不劳动者不得食！

"我要不要去上班呢？"刘禹州满脑子都是这个问题。

他走到卫生间，对着镜子刷牙洗脸，脑海里却依旧不断浮现那个问题，但自己也不能立马给出答案……就这样，刘禹州在胡思乱想中洗漱完毕。

他索性穿衣，出门，先到街角买个煎饼，吃饱肚子再说。拿着煎饼却没了食欲，竟然不由自主地走进了地铁站。从地铁站上来，往前几步，再次站在了那栋陈旧的写字楼门前。

一个年过半百的老保安正斜倚在门厅的接待台后面打着哈欠，随意地斜眼打量着刘禹州，后者站在门口犹豫不决的样子，多少令人怀疑。保安右手有意无意地滑落在身侧，按着那根跟这栋楼一般陈旧的橡皮警棍，一张扁平的饼子脸上写满了警惕。

记得哪本书上说过，每个好保安都是哲学家，他们一生都只问三个问题：你是谁？从哪里来？到哪里去？

刘禹州不等保安发问，指着楼梯说："我是第一天上班的，第一天上班。"保安点了点头，算是默许了。人真是贪财啊，五千块钱就把自己的灵魂给出卖了。刘禹州心中哀怨，对自己没能抵抗住金钱的诱惑很是不齿。但很快又找到借口：这怎么能怨我？面对金钱谁敢说自己没想法？何况我一个刚毕业一年的大学生。

这栋写字楼没有电梯。穿过大堂就是一道很敞亮的楼梯，有点像上世纪七十年代的公共图书馆，确切地说，这里以前还真就是个图书馆。后来被拿来改造一下，成了写字楼。但从效果上看，这地方显然人气不旺。至少刘禹州来了两次，都没见到什么人。

刘禹州又爬到了顶层，再次站到那个通往天台的门外。

刘禹州深吸一口气，坚定地对自己说："为了五千块！"然后伸手，按照昨天的方式，在门上用力一推——咦？居然纹丝不动。

什么情况？刘禹州脑子一团乱麻，这个比他昨天开门的过程更让他惊讶。

他再推，还是不动。他隐约间看到那把大锁如有灵智一般嘲笑他：小子你睡糊涂啦，门把手在这边，再说门上还有我！

不会吧！刘禹州在心里哀嚎：不带这样玩人的！难道说……我精神出问题啦？还是，我现在在做梦？对，一定是做梦。

就在刘禹州准备狠狠地给自己一记耳光的时候，那道门无声无息地开了，就像昨天一样，从门轴的方向向里打开一道缝隙，显露出门后一片氤氲的光亮。

一声冷喝，Q姐的声音响起在他耳边："小子，你上班也不要这么积极吧，才七点半不到就来了，赶紧进来。"

刘禹州几乎是用百米跨栏的姿势蹿了进去。那道门在他进入之后，又悄无声息地关闭，再无异常。

刘禹州站在那里，狠狠地做了几次深呼吸，把一颗怦怦乱跳的心抚平，这才有情绪抬头打量。

办公室里的情景和昨天他见到的没什么区别。那些苍老的办公人员，依旧三三两两地坐在自己的座位上伏案工作，连头也不抬。

这些人是不是都睡在这里啊？这也太夸张了吧。刘禹州忍不住心里的好奇：难道这个工作真的有那么忙？谁说我来得早，这些人不是更早？

"你到我办公室来。"Q姐的声音再度响起。

刘禹州满脸堆笑，努力做出一副积极昂扬的姿态走进了Q姐的办公室，对着坐在桌子后面打哈欠的上司微微鞠躬："您好，Q姐，我来报到。"

Q姐白他一眼，神态很是疲惫："年轻就是好啊，这么早就来，我都还没睡醒。先告诉你，咱们上班时间是早上九点到下午六点，以后要记得。真是的，一大清早就被你吵醒。"

刘禹州赶紧点头，神情中略带几分疑惑：难道这位Q姐昨天晚上也睡在这里？这老板当得真够憋屈的。

Q姐似乎觉察到了他的疑惑，随意地说："行啦，你也别乱猜，以后你就都会明白的。我们人生快递，可不是一般的公司，早告诉你了，从此你的人生将与众不同。先给你找个师傅，待会儿你师傅会去找你。"

"你先找个地方坐吧，我们这里有空的办公位。"Q姐吩咐道。

刘禹州探头向外张望一下，嘴唇翕动，准备发问，但还没开口，Q姐就又说话了："我知道你想问什么，那些老人，别去打搅他们。他们都是我们这里的老员工，已经退休了，这里留下的只是一些意念幻象。"

"啊？"刘禹州惊讶地张大了嘴巴，这种说法，完全超乎了他的理解能力。

"别惊讶，以后你惊讶的事情还多着呢。年轻人，好好干吧，我看好你哦！"Q姐的声音从他背后响起，不停地在他脑海里震荡，显得无比空灵神秘。

刘禹州按捺住满心的悸动，找了一个无人的办公隔断匆匆坐下，右手从背包里拿出煎饼，使劲想往嘴里送，却半天也没送进去。他这才发现自己的手哆嗦得厉害，有些不听使唤。

"我到底在干什么？""这到底是个什么地方？"这些问题不断地环绕在刘禹州的脑海里。过了好一会儿，他才算平静下来，僵硬的脖颈儿能够转动，酸涩的眼睛也可以自由地四处打量了。每次眼光扫到那些沉默无声的老年人幻象时，都让他有种心惊肉跳的感觉。

这东西是幻象？真的太神奇、太真实、太诡异了。高科技啊这是！

他左右看看，见没人注意，伸出左手手指，慢慢地，慢慢地伸出去，轻轻地在对面那个身穿格子衬衫的老人身上捅了一下。

啊！手指顺利地穿过他的身躯，就如同在空气中一般。刘禹州在反复试验后惊奇地确定——这些都是幻象。

"你是刘禹州？"一个低沉厚重的声音突然在他身后响起。

刘禹州像受惊吓的兔子一样蹦了起来，手忙脚乱地转过身。在他身后，站着一个身穿蓝色工作服的男人，个子不高，身材中等偏瘦，相貌普通，而且一脸沧桑，精悍的短发有些花白，看起来就像那种随处可见的农民工兄弟，眼神又如同是监考中的教师的那样凌厉。

"哦，是我。您好！"刘禹州赶忙伸出手，赶紧又缩回来，他手上还拿着煎饼，于是尴尬地笑笑，"您是？"

"我是你的师傅。"中年男人面无表情地说道，"我叫黑桃八，你可以叫我师傅或者是八叔。"看得出来，这位师傅对刘禹州的第一印象谈不上好。

"哦，是，您好，师傅。"刘禹州恭敬地喊了一声。

"先跟我来，领你的工作服。"黑桃八说完就自顾自地走了。

刘禹州赶紧放下手里的煎饼，紧走几步跟了上去。

黑桃八根本没回头，淡淡地说："以后不要在办公室里吃东西，这是规矩，下不为例。"

"哦，是……"

两人来到前台壁墙之后的一个房间，看样子是间更衣室：靠墙的一排更衣柜，直上直下的，很宽大。这倒让他有些茫然不解，难道上班时还需要换衣服？就算是更衣柜，这规格也稍微大了点儿吧？

黑桃八走到其中一个柜子前，伸手在那个柜门上摆弄两下，对刘禹州说："好了，你把手指按在那个感应器上。对，就这样，这个就是指纹锁，以后这个柜子归你使用了。"

刘禹州把右手食指按在那块小巧的似乎是玉石制作的铭牌上，就觉得手指和铭牌接触的地方一凉，似乎有什么东西从自己的身体里被吸出来，钻进了那块铭牌，铭牌上闪耀起一片晶莹的光亮，只是一闪，就恢复了原样。

怎么回事？刘禹州有些心惊，仔细地回味、感觉，倒也没发现自己身体有什么不妥，抬手看看手指，也没有任何破损之处。

咔！一声轻响，更衣柜的门自动打开。

更衣柜正中挂着一套蓝色的工作服，式样跟黑桃八身上的一样，有点儿像消防服，立领夹克式样，上下一体，就连长筒靴都包含在内，衣服上还有好几个大口袋。

刘禹州把衣服穿起来，发现居然还有一顶帽子，不错！对着门背后的穿衣镜照照，有点儿修理工的样子。还好，这衣服里面不知道有什么古怪，穿好了一点也不觉得热，反而感觉很舒服。领口、袖口，包括脚下的半高腰靴子，都带自动适应装置，自动调整大小。

"哎呦，真是神奇啊！"刘禹州穿好之后，活动了一下，感觉到从衣服内部传来阵阵的凉意，似乎身体也变得轻巧了许多。

"注意保管，这衣服就是你今后工作的主要用品，损坏了要赔偿的。"黑桃八冷冷的声音响起。紧接着他又从衣柜里一个专用的小格子中郑重地取出一双手套，仔细检查一番，递给刘禹州："戴上它。"

刘禹州打量一下这双手套，薄薄的手套，是无指型的，让他想起小时候学街舞戴过的那种手套。也不知道是什么材料做的，非皮非布，摸起来非常柔软，颜色是蓝色的。在每只手套的掌心部位刻画着一个繁复的符文。银色的线条和淡金色的符号紧密交织，只看了一眼，刘禹州就觉得头晕眼花，赶紧把目光挪开。

刘禹州戴上手套，活动一下手指，手套很顺滑地贴上了他的皮肤，没什么特别之处。

"记住，这双手套是公司的秘密财产，必须确保它的安全，不得遗失，否则，后果很严重。而且，这些装备必须在每天下班之前放回这里，严禁私自带出公司，清楚吗？"黑桃八的声音中带上了一丝深深的威胁，让刘禹州心底有些不爽。

一副手套而已，还秘密财产！忽悠，你接着忽悠。尽管心里是这么想的，但嘴上却说："是，我一定牢记。"刘禹州坚定地点头，紧握双拳，以表决心。

黑桃八显然看出来他的口不对心，眉头紧皱想说什么，但随即就放弃了，只是扫了他一眼，说："跟我来。"

"我说师傅，咱们没有个自行车啥的？"刘禹州乐颠颠地跟在黑桃八身后，兴奋地伸拳踢腿。

"自行车？"黑桃八的脸上明显闪过一丝厌烦，顿了顿说，"要自行车干什么？"

"送快递啊，师傅。"刘禹州很奇怪地反问，"送快递的不都得有个自行车吗？电动的那种。"

"要啥自行车！"黑桃八一撇嘴，再绷不住冷脸，说，"你跟着我就行了。"说着，他走到公司大门前，伸手从兜里掏出一部手机，手机屏幕上彩光闪烁，似乎有什么信息出现。这款黑色手机看起来比一般的智能手机大了一号。

"好了，今天又要提前上班了，有业务来了。你跟紧我。"黑桃八看看手机，平静地说。说完，他用右手握住手机，双手在胸前一拍，做了一个古怪的合掌动作，然后分开双手，对着那扇门的门扇轻轻按下，将手机贴在门上。

"刷"的一声，门框上闪出一道白光，将整个门扇包裹。

"走吧。"黑桃八招呼一声，伸手在门上一推，把门推开，迈步走了出去。

"哎哎，等等我。"刘禹州被这有些玄幻的场面震惊，听到黑桃八招呼，懵懵懂懂地跟了上去。

就在迈步跨过那道门时，刘禹州四周先是一黑，随即又闪烁出五彩霞光，紧接着发出一团刺目的白光，让他无法睁眼，赶紧把眼睛闭上。就这样眼球还是传来阵阵的刺痛，几乎流下泪来。

仿佛只有那么短短的一瞬，刘禹州听到黑桃八的声音："好了，你可以睁眼了。"

刘禹州转转眼球，觉得没那么疼了，缓缓地睁开眼睛。眼前一片光亮，有一条马路横亘而过，车辆川流不息，人来人往。马路两侧是鳞次栉比的店铺，看起来是个热闹的地段。

"这里不是本市的著名商业街朝阳路吗？我怎么到这里来了？"刘禹州惊讶地看着这一切，脑袋里嗡嗡直响。"我这是空间穿越了？一下子就穿梭了十几公里的距离？这太神奇了，我真的不是在做梦？"他张大了嘴巴，上下打量一番自己，没错，从头到脚还穿着那套淡蓝色的工作服，戴着手套，完全像个送快递的。再回头，看看身后，是一家美容美发店，他就站在门口，好像刚从里面出来。

"走吧，我们赶时间。"黑桃八的声音从另一侧传来，让刘禹州猛然警醒，一转身，黑桃八就站在他身侧，冲他点头示意，然后自顾自向马路对面走去。

刘禹州赶紧跟上，看着黑桃八沉稳的背影，一肚子的话想说，却不知该从何说起。

过马路的时候，刘禹州又发现了一个诡异的现象，那黑桃八似乎根本不看来往的车辆，就那么径直走过去，但他行走的节奏却正好和车辆来往的间隔一致，好似双方商量好了一样，互不干扰就那样从从容容地走了过去，毫无滞碍。刘禹州跟在他身后是亦步亦趋，亦是有惊无险，只不过他被往来的车流吓得面无血色，心脏怦怦乱跳。

黑桃八走得很快，刘禹州几乎是小跑着才能跟上。

转过一个街角，眼前出现一个高档的公寓区，几栋高层豪华住宅楼迎面而立。

而此时，在一栋楼底下聚集着一群人，其中还有警察。人们吵吵嚷嚷的，不知道在干什么。

"到了。"前边走的黑桃八停下脚步，淡淡地说了一句。

刘禹州跟在他旁边，四处打量，一肚子疑惑。他饱含质疑地看了黑桃八一眼，不过他没有把疑问说出口，刚才他已经见识过更诡异的空间穿梭了，现在再出现点啥奇特事件也不足为怪。

刘禹州远远地打量一眼现场，似乎是有人要跳楼自杀。

在那栋二十层的高楼楼顶，站着一个人，应该是个男的，看样子是有往下跳的念头。楼底下早起的群众扎堆看热闹，还有些保安和警察忙忙乱乱地封锁现场，准备救人。救护车也开到了，停靠在一边的街道上，不过看起来也就是尽人事而已。二十楼跳下来，能有个完整尸首就不错了。

刘禹州在那里感慨，前几天自己头脑发热，救了那个小女孩苏苏，现在想起还很是后怕。但凡苏苏的身体再稍微偏一点，砸中自己的脑袋，后果不堪设想。

"还好我福大命大！"刘禹州暗自庆幸。

"走吧，看到委托人了。"黑桃八突然说了一句，率先走了过去。

刘禹州连忙跟上。黑桃八却不是向那人群里走，而是斜着走向街边一个告示栏。在告示栏底下，站着一个十七八岁的大男孩。他手里拿着一部手机，正紧张地看着楼顶上那个要自杀的男人。

黑桃八走到那男孩身前，很从容地打招呼："您好，我们是人生快递，很高兴为您服务。有什么需要我们效劳的吗？"

在男孩的身后，刘禹州一眼看到一张大大的海报：

人生快递！快递人生！

我们，传递希望的专业人士！

无论何时，无论何地，您的希望将在十分钟内送达。

当您在最绝望的时刻，请您拨打以下这个热线——

4008-517-527

他惊讶地睁大眼睛，脑袋里仿佛有无数雷霆噼里啪啦地打下来。

真的有这个广告！自己不是幻觉！

那男孩急切地一把拉住黑桃八的胳膊，带着哭腔说道："你们快帮帮我，帮我救救我爸爸！他要跳楼……"

黑桃八不动声色，身影沉静得宛如一座山："对不起，我们是快递公司，不承接救助业务。"

"啊！你们……你们不是……"男孩惶急地张着嘴，不知道该说什么，他转头去看看那张海报，又"呜啦呜啦"地说道，"哦哦，那我要你们马上帮我送一份快递给我爸爸，就是要跳楼的那个，我要你们送……"他在周身上下摸了一遍，摸出一张纸来，"这个，你帮我送这个给他！"

那是一张大学录取通知书。

男孩的眼泪止不住地流下来，说道："我昨天拿到这个，打算给他一个惊喜的，没想到……我不知道是怎么回事，他怎么会这样，但请你们帮我，现在，马上把这个送给他，告诉他，我在家等着他回来，让他……不要抛下我一个人……"

黑桃八伸手掏出一个大信封，把那张录取通知书装进去，仔细地封好："我们只是快递公司！"顿了一下，他又说，"这份东西会在三分钟内送达。你知道我们的收费标准了吗？"

男孩几乎是咆哮着说话："知道知道！你快去吧，别耽误时间了。"

黑桃八微微地冲他点头："请你相信专业人士！"说完转身而走。

刘禹州惊讶地看到，青年身后那个告示板上，人生快递的广告闪了一闪，消失无踪。

黑桃八走得很快，只几秒钟，就走进了另一个楼门内。

他也不多说，就站在一堵墙前面，在手机上输入了一串字符，随后将手机夹在掌心中，双手一拍，然后双手齐出，右手将手机贴在眼前的墙面上。

白光闪过，墙上凭空出现了一道门，和刘禹州在公司见到的那扇门一样。

"走吧，我们去送快递。"黑桃八的脸上难得地露出一丝微笑，冲着刘禹州挥挥手，当先推门而入。

刘禹州这次有了经验，一进门就闭上眼，直到感觉脚底下踩到实处，才把眼睛睁开。眼前已是楼顶平台，左右是冷却水塔和变压器站。正对着他的，就是那个要跳楼男人的背影。

此时跳楼的男人已经迈步踏上了半人高的防护墙。

"请等一下。"黑桃八的声音响起。

那男人明显一哆嗦，缓缓地转过头来，发现身后凭空出现了两个怪人，脸上显露出惊讶来。哪怕是他一个马上要去死的人也有些接受不了这种灵异事件。

"你们是干什么的……你们是怎么上来的？"

黑桃八手里托着那份信封，朗声说道："你好，我们是人生快递。有一份快递请你签收。"

"快递？"这个人脸上充满了疑惑的表情：这是怎么回事？快递？有这个时候送快递的吗？而且，是怎么送到这里来的？

他想不明白，干脆就不想，摇摇头，苦笑一下："我用不着啦。我马上就要死了，算了，什么东西也没用了，你们替我把它退回去吧。"

"对不起，先生，我们不负责退货，还请你签收一下。"黑桃八毫不犹豫地拒绝，迈步走上前去。

"等下，你不要过来，我要跳下去了，你……"那男人急忙喊道，脚步又往外挪动了一步。

楼下人群中发出轰然声响，各种惊叫、喊叫声响成一片。

一个维持秩序的警察皱着眉看着上边，奇怪地问自己的同事："这家伙在干吗，怎么转身了？咱们的谈判专家到了吗？"

"没呀，还在路上。他这是怎么了？好像在和谁说话。楼上有咱们的人吗？"

黑桃八继续往前走，毫不犹豫。

"请你签收。"他把文件袋直接递到那男人的胸前。

刘禹州擦把汗，真怕这个男人就那么跳下去了，不过，这个男人似乎被黑桃八的气势吓住了，定在那里一动不动，下意识地接过了文件袋，双眼惊恐地看着黑桃八："你……你搞什么鬼？我……我怎么动不了了。"

黑桃八露出一丝微笑，这让他那张扑克脸显得更难看："你得先签收，然后才可以去死。"

男人看看文件袋，再看看一脸坚定的黑桃八，颓然地说："好吧好吧，我签收。"

黑桃八变魔术一样递上一支笔，刘禹州皱着眉头，那支笔他依稀有些印象，跟他填写登记表的那支一模一样，银色的笔身，有流光闪烁。

那男人接过笔，打量了一下，脸上露出一丝笑容，感叹道："哈哈，我赵某还有再签字的时候啊，没想到啊没想到！这几天，签那些破产文件都签麻木了，一直往外掏东西了，总算收了一次东西，呵呵。没啦，都没啦，一切都没了。我奋斗了半辈子，全完蛋了。活着有什么意思啊，你们说。折腾，就是折腾，到头来还不是一场空。我看看，这是谁在这时候还惦记着我……"

随着他大笔一挥，大信封如同阳光下的雪一般，迅速地消融不见，那一张薄薄的纸片，轻飘飘地飞落到他手心。

男人僵硬在那儿，半晌不动，怔怔地看着纸片上那一行大字：

××大学录取通知书。

楼底下突然传来一声叫喊："爸爸！爸爸你在吗？我是小龙。你看到没有，我考上大学了，爸爸，你说好要供我上大学，你不要乱来啊，爸爸。你不能抛下我不管啊，妈妈不在了，你要再……我怎么办？爸爸，你下来吧，求你了！"

"我保证以后听你的话，啥都听你的。我啥也不要了，你给我留的那些财产我都不要，我就要你回来。我也可以去打工挣钱，我能养活咱俩的，爸爸，你快回来吧！"

黑桃八上前，收回了那支钢笔。

那男人一哆嗦，仿佛从噩梦中清醒过来。他跳下防护墙，一屁股坐到地上，忍不住失声痛哭，手里紧紧地攥着那张通知书。

黑桃八很有礼貌地冲他点头："感谢你使用人生快递，再见！"说着，用手握住那杆钢笔冲这个男人一挥，钢笔上爆闪出一团七彩的亮光。那个男人一接触这团亮光，顿时就闭上眼昏然入睡。

"好了，业务完成，我们可以走了。"黑桃八双手一拍，又在旁边的墙上开启了一道门，带着刘禹州走了进去，现场恢复了正常。

过了几分钟，平台通道的门被打开，几个警察和救护人员冲了出来："人呢？人呢？"

"在地上，在地上，怎么昏过去了？"

"奇怪啊，快救人！快救人！先送下去……"

白光一闪，黑桃八和刘禹州又出现在了公司的办公室里。

刘禹州四下环顾，一时间有点儿茫然。掏出手机看看时间，还不到八点半。

刚才发生的一切是真的吗？就在短短的十五分钟之内，自己已经穿越了半个城区，飞跃到二十层楼上，帮助一个男孩送了一份快递，把一份录取通知书给他父亲，并且在他的父亲就要自杀的前一刻。

虽然没有看到结局，但刘禹州敢肯定，那个男人不会再去自杀了。

这，就是人生快递吗？真是太神奇了。

在那栋住宅楼下，刚才要自杀的男人从昏迷中醒来，感觉到自己躺在担架上，晃晃悠悠地被抬上救护车。

他挣扎着向左右看："我儿子，我要找我儿子……"

他混沌的大脑刚刚苏醒，刚才似乎发生了什么很奇怪的事情，跟自己的儿子有关。到底是什么呢？该死的，怎么什么都想不起来。他注意到自己手里，还抓着一张纸——哦，对了，这是录取通知书，我儿子考上大学了。哈哈，他真棒。可我这是……这是在干什么？为什么躺在这个担架上？

对了，我是破产了，要自杀。趁着清晨没人注意，悄悄地爬上楼顶平台，踩上那个防护墙，然后……然后是怎么回事？好像我突然看到了儿子的大学录取通知书……

然后，我就不想死了。是啊，还有儿子，我还要跟儿子好好地生活下去，为什么要想不开呢？钱没了就没了吧。真是奇怪，为什么会一下子钻了牛角尖？有什么比跟家人一起好好地生活更重要呢？

"呼！"他长出一口气，仰面躺在担架上，看着天空，初升的阳光扫过朵朵白云，让那蓝天分外空阔。

4

黑桃八坐在刘禹州对面，认真地看着他讲解。他严肃的样子让刘禹州想起当年高中时那位严厉的英语教师。刘禹州端正地坐好，拿出一个笔记本来。

"不要记，不要记，工作的事情，不要记。"黑桃八阻止了他，"这些东西是公司的机密，你知道就好，还记得加入公司时填写的那张入职申请表吗？上面第一条，保守公司机密，遵守公司纪律。时刻要牢记，你所见到的、听到的这些有关公司的事情，严禁泄露给其他人，明白吗？"

"明白。"刘禹州用力地点点头，"打死我也不说。"

黑桃八继续说："哼哼，公司也有办法让你保密。好了，如你所见，我们这个公司承接一种很特殊的业务，人生快递，传递希望。只有那些陷入绝望、强烈期盼有奇迹发生的人，才有机会和我们公司进行业务联系。"顿了顿，黑桃八解释道，"就像今天那个少年，他强烈希望能够有人来救他的父亲，这个时候他才会看到那张广告，才有机会拨打我们公司的业务电话，召唤我们为他服务。"

刘禹州举手："那个……师傅，您不是说我们是个快递公司，只承接快递业务吗？照您这么说，我怎么觉得有点像那些美国大片里的超级英雄，蝙蝠侠、蜘蛛侠什么的。"

"嗯，这个问题问得好。"黑桃八点点头，接着说，"所以，在这些人的期盼中，必须有一个信念，是他们想把某件东西送到另一个地点或者某个人的手中。比如说那个少年，他的心中，最强烈的意念是什么？就是想马上让他父亲看到他的录取通知书，所以才可以触发我们的业务承接条件。"黑桃八顿了顿说，"除此之外，别无可能。我们也只是快递公司，除了送东西，确实不承接其他业务。"

"那比如……救人呢？"刘禹州说道。

"人生是属于每个人自己的，自有其命运安排，除了送快递，我们不会干扰其他人的生活轨迹。"黑桃八平静的语调，在这安静的办公室里显得有些冰冷。

"那个……"刘禹州有些想说什么，张了张嘴，还是忍住了。难道就看着一个人死在自己面前也不去救吗？可黑桃八说的似乎也有道理。对呀，我们只是送快递的而已，拯救啥的，还是交给有关部门吧。

黑桃八等他恢复了注意力，接着说道："你好好理解一下我们公司的那句广告语，以后你就会明白的，这些问题暂时不用考虑太多。

毕竟，我们业务中面临这样境况的也不多。我来给你讲解一些技术问题。"

"这双手套，"他举起双手，"学名叫作破界手套，可以开启一道空间门，使我们拥有穿越空间的能力。不要惊讶，你已经见识过了。"

"没有惊讶，师傅。"刘禹州乐得眉开眼笑，看着自己的双手想入非非。

黑桃八皱皱眉，说道："你现在的手套还没有这个能力，只有你过了试用期才会有。"

"啊？"刘禹州的脸色顿时暗淡下来，"那……师傅，我什么时候能过见习期？"

"哼，还早着呢。你以为成为人生快递公司的一员很容易吗？"黑桃八冷笑道。

在黑桃八接下来的介绍中，刘禹州算是明白了人生快递公司的诸多与众不同之处、这些设备的神奇之处。

破界手套穿梭空间的能力并不是无限的，它必须与另一件工具——那部手机结合起来。那部手机看起来跟普通的智能手机差不多，学名叫作星定器，大家一般都叫它"手机"。

手机可以接收到总部分配来的业务地址，转化为实时的空间坐标，然后传递给手套，手套才能够将目标空间与现存空间坐标叠加在一起，并通过那道门产生一个空间基点连通。理论上，可以到达地球上任意一处。

从作业程序上来讲，委托人联系到公司之后，由Q姐确定是否承接业务；确定之后，会将委托人地址、身份等信息通过公司的内部网络发送到业务员的手机上，产生派工单。

根据派工单，业务员找到委托人收取货物，问清收货人的身份和地址信息。这些信息会在手机中自动生成派工单的下一单元——送货单，并同步传输回公司备案。手机配合手套并根据送货单信息开启空间门定位，将业务员传送过去。

当收货人目标确认，收到货物，并在送货单上签字之后，这个业务才算完成。后续还有其他的工序，比如与委托人进行报酬结算等等。那些都是公司来处理的。

在手套定位的过程中，需要施术人全神贯注，不能有丝毫的杂念，否则，空间坐标很容易漂移。这种全神贯注状态，需要施术人长年累月的锻炼，加强自身对思维精神的自主控制。只有这样，才能确保顺利地开启空间之门，精确抵达目标位置。但即便是目前人生快递公司最好的快递员——黑桃八，也只能将定位差距控制在百米之内。

"曾经有前辈做到过一米误差，可以随时出现在目标人的身后一臂之遥处。可惜，现在没有人能做到了。"黑桃八感慨道。

这么一说，刘禹州不由得后怕，那早上黑桃八和自己被传送到楼顶平台，要是来个百米误差，那任务岂不是就失败了！

"刚才说的是远距离传送，视距内的可以做到一米误差。"黑桃八看他一眼，淡淡地补充，似乎已经知道刘禹州在琢磨什么。

刘禹州嘿嘿地讪笑，没敢再接话茬。

还有那根银色的粗大钢笔，学名叫作灵法笔。使用它来签字，可以产生类似灵魂契约一样的效力，是专门用于确认货物送达目标人的工具。只有收货人使用它在货单上签字，这项快递业务才算圆满完成。同时，灵法笔的另一个用途是抹杀记忆，收货人将很快遗忘有关人生快递的一切记忆，这一点和电影《黑衣人》里面那个小金属棒的作用类似。

"那……"刘禹州又举手想问问题。黑桃八没理会他，自顾着往下说："其他人，也就是和我们业务无关的第三者，如果出现在我们交接货物的现场，我们须使用灵法笔，将他们的记忆同步抹杀。这是必须严格遵守的制度。"

"那我们自己会不会受影响？要像《黑衣人》里那样吗，得戴上墨镜啥的。"

"没那个必要。咱这是高级东西，会主动区分敌我，哦，是适用对象。"

"身上这套衣服，学名叫作大五行云禁服，它的作用第一就是降低存在感，也就是说当你出门做业务的时候，只要不是特意观察你，周围的人会被动地忽视你的存在。而且还装载了可以产生隐身效果的功能，一旦启动，别人看不到我们。当然这个效果有时间限制，而且我们做业务经常会出现在一些比较危险的区域，这个防护作用，也是必要的——起码穿上这套衣服，可以抵挡一般的子弹射击。"

"哇！这么厉害！"刘禹州不由自主地竖起两根大拇指。他暗暗自喜：自己这是加入了一个多么神奇的组织，以后在地球上可以横着走了。

"确定这个不是游戏？"刘禹州回过神来，又觉得听到的一切有些玄幻，让人不太敢相信。

"游戏？"黑桃八奇怪地看他一眼，"人生就是一场游戏，只不过，不能读档重来。"

黑桃八又简单地向他介绍了一些使用过程中的注意事项。

刘禹州忽然想起什么，问道："师傅，早上你问那个少年，说到我们的收费标准。咱收费是什么标准啊？咱这个业务模式，成本不低啊。"

"我们的收费标准，是委托人全部财产的二分之一。"清冷的声音从他身后响起，是 Q 姐。

"啊？二分之一？全部财产？"刘禹州不禁惊叫起来。

Q 姐说："怎么，你觉得便宜？"

"不是，我觉得是不是有点过于……昂贵？二分之一的全部财产啊，这得是多少钱。"

"贵？一点儿也不贵。"Q 姐笑着说，"你要知道，我们的业务委托人是随机的。大部分人个人财产并不多。就算是二分之一，实际也没有多少，很多业务是赔本的。这么多年，算下来我们其实还是有赤字哦。就像今天这一单业务，"Q 姐一谈到钱，整个人就变了，有点像个菜场大妈一般絮絮叨叨地叫苦，"那个小孩子能有多少钱？全是他爸爸给他的，还被他花了不少，就是名下一处房产还值点钱，现金不过几万，算下来，我们这一单实际收入还不到五十万呢，唉，真是亏大了。"

五十万还亏？！刘禹州心里一阵腹诽，鄙视的目光出卖了他心中所想，立刻遭到Q姐的强力回应："当然亏啊，这公司上上下下，里里外外，哪里不需要花钱！场地租赁、信息服务、装备维护，还养活那么多人，包括你啊，你工资不也是要从这里出！"

刘禹州败退，虽然他怎么也不觉得自己这五千块钱的工作能占多大的成本。不过，转念一想，破界手套、灵法笔、大五行云禁服、星定器等如此神奇的装备，还有如此神奇的业务，想来背后运作的成本也是奇高，这个收费倒也合理。

"电视上有报道了。"Q姐突然说了一声。在办公室的天花板上垂下了一台液晶电视，画面显示，正是早上那一起自杀未遂的事件。

画面是现场手机拍摄，有些模糊，只看到一副担架在人群簇拥下被匆匆抬上救护车。播音员说道："一男子清晨在某小区楼顶，意图自杀，在警察和热心群众的救助下回心转意。画面中，男子不断挥动着手中一张奇怪的白纸，还呼喊着：'儿子，我找我儿子……'"

"也许，这个收费标准才是完全合理的。"刘禹州心想，"比起生命来，二分之一的财产算什么？刚才我们可是挽救了一条生命呢。如果能选择，相信所有人在二分之一财产和自己亲人的生命之间都会选择后者。

"自己做的这个业务还真有点伟大，嘿嘿嘿。"刘禹州忍不住傻傻地笑起来。黑桃八拍了拍他肩膀，一下子把他从那种陶醉状态拉了回来，盯着他的眼睛，认真地说："你是不是觉得自己有点儿伟大？觉得自己很高尚？"

刘禹州有点蒙："怎么了，难道不是吗？刚才，我们不就是救人一命？嗯……虽然主要是师傅您做的，但是——"

"你错了。"黑桃八冷着脸，打断了他，"记住，我们只是送快递的，任何由此产生的命运变化，都与我们无关。听明白了吗，小子？所有那些生或死，痛苦或快乐，成功或失败……都与我们的业务无关，都与我们在做的工作无关。千万不要被这些现象所左右，产生什么心理变化。这是今天，也是你成为人生快递一员的第一课。"

刘禹州被他说的话震慑，定在那里，半晌都回不过神来。黑桃八则转身走进了 Q 姐的办公室。

"你的态度，注意你的态度，不要太粗暴。"Q 姐坐在电脑前忙碌，头也不抬地说。

"我是为他好。"黑桃八转身望着在大厅里发呆的刘禹州回答道。

"都有个过程，这孩子才第一天上班。"Q 姐说，"你说的这些，他一时也理解不了。"

"那就要尽快理解。"黑桃八毫不客气地反驳。

"哐当——"Q 姐板着脸，将厚厚的一大摞书放在刘禹州的案头，阴沉着脸说："这些东西，你需要尽快看完。都是公司的资料。"

"这……这么多……都是？"刘禹州看看那些书，每本都有《康熙字典》的厚度，至少有七八本。

"都是。"Q 姐抱着双臂，严肃地说，"一个礼拜，你只有一个礼拜。看完就要收回，还要考试。"

"还要考试？我……"刘禹州一阵悲叹，没想到当个快递员都要考试，而且要看这么多资料，一个快递公司要这么多资料做什么！他咧着嘴，不甘心地说道，"领导，这个……咱们公司就不能搞个网上办公啥的吗？还用这种纸质书，太落伍啦！"

"纸质书？谁告诉你这些是纸质书？"Q 姐冷笑道，"你再好好看看。"

刘禹州翻开第一本书的封面，他惊讶地发现，所谓的"封面"只是个保护套，里面居然是一部平板电脑，而且每部电脑里呈现内容的形式都不一样。

有公司历史文化和组织制度，有业务介绍和执行流程，有装备使用维护手册，有地球人生存指南，有各大洲风土人情、地理历史、人文环境、野外生存注意事项，还有运动训练、体质强化、素质提高、格斗技巧等内容。

刘禹州有些后怕了，心想这分明是培训特种兵的课程，自己果然是上了贼船了，而且很有可能是什么秘密情报组织……

"师傅。"刘禹州来到黑桃八的办公桌旁。

黑桃八正悠然坐在座位上，端着小茶壶品茶。

待他把心中的疑惑说完，黑桃八只是淡淡一笑，说："放心，我们只是个快递公司，不是啥秘密情报机构。不过这些东西都是你必须要掌握的。记住，我们是专业人士。"

"专业人士？不还是送快递的嘛！专业送快递的？"刘禹州不满地调侃道。

晚上七点半，刘禹州拖着疲惫的身子回到了自己的家。

这一天，除了早上出了那趟临时业务，他就一直在公司进行理论学习。即便是现在，他也得戴上一个什么辅助教学头套，在催眠状态下疯狂地进行业务知识学习。当然了，这样的学习不包括体能训练，黑桃八已经为他制订了训练要求，那就是"三从一大"——从难从严从实战出发，大运动量。

每当他气喘吁吁想要休息的时候，黑桃八严厉的眼神伴随着喊叫声就传了过来："我们的业务，很多都是在复杂环境、艰苦条件下完成的。这些都是必备的素质条件。记住，我们是专业人士。"

他觉得自己的体力透支得厉害，双腿不停地颤抖，一头栽进了沙发里。

笃笃笃……一阵急促的敲门声响起。

刘禹州猜测是来收房租的，他趴在沙发上盘算了几秒钟——离发工资的日子不远了，就让房东宽限几天吧。

打开房门，门口站着一个身着白色T恤、牛仔短裤的妙龄女郎。看见她的那一瞬间，刘禹州收回了早已挤满整张脸的笑容，松了一口气，转身进屋了。

这位漂亮姑娘是刘禹州的表姐，名叫陈薇薇，现在在北京某电视台做记者，也算是个精英人士了。

"喂喂，老五啊，你这狗窝也太埋汰了，下班后自己收拾收拾嘛！"陈薇薇一进屋就把包放下，手脚麻利地开始干活。

"让我死了吧……"刘禹州浑身酸痛，有气无力地喊。

"你这是咋地啦？上班了？累着啦？我说五啊，你到底在干吗？啥工作这么辛苦？"陈薇薇找了个垃圾袋把桌上、地上的各种垃圾收拾起来。

"送快递。"刘禹州低声说。他的脑袋里像是有七八个醉汉在打拳。

"快递？你？哈哈哈，你去送快递？"陈薇薇愣了一下，哈哈大笑。

刘禹州没力气理会，躺在那里一动不动。

"你那公司叫啥名字？"陈薇薇问道。

"叫……"刘禹州刚想说什么，就觉得脑子里一震，把他想说的话给打断了。等回过神，他刚要重新开口，可同样的状况又出现了，好像冥冥中有个神秘的力量在阻止他，不让他说出公司的名字。

他"噌"地一下坐起来，双目圆睁，把正埋头干活的陈薇薇吓得不轻。"哎哎，你……你没事吧？五，你没事吧？"

"我没事。"刘禹州的额头上渗出了汗水，心中惊骇不已。

果然，果然如此！真的有这种不可知的力量存在！难道这就是所谓的灵魂契约？刘禹州惊讶地想到。

"五，你这脸色可不好，是不是病了？我带你去医院……"陈薇薇小心翼翼地凑过来说。

"不用不用，我没事……没事，就是累的，休息一下就好。"刘禹州赶忙摇手拒绝。

"那就好。我说五儿，要不你来我们单位实习吧，先跟着我干，等有机会姐帮你弄个临时身份。干两年就转正，不也挺好。好歹你也是大学毕业的，送快递，这种工作咱还是算了吧。"

"不要，我自己能行。"刘禹州摇头拒绝。

"你这孩子，脑子怎么不开窍呢！"陈薇薇没好气地白了他一眼。

闲聊了一会儿，陈薇薇说起了早上的自杀未遂事件："哎，你看电视没有？早上有个自杀的，是我带队去拍的呢。早间新闻有播出。真是的，现在的人，怎么就那么想不开，干吗要自杀？不就是破产嘛，也不值得去死啊。说起来也真奇怪，这人被解救后好像有些失忆……"

刘禹州安静地听着，慢慢进入了梦乡……

第二章
灵魂契约

　　"我知道。"黑桃八点点头，"我们不杀人。我们只是送快递的。好了，有了这笔进账，这个月的业务额会好得多，Q姐应该高兴一点儿了吧。"

1

白光一闪,黑桃八和刘禹州出现在了一个空荡荡的公共卫生间里。卫生间里还有一个身穿病号服的人在洗手,他根本就没有注意到身边多了两个人。

"哎,师傅,这里有人。"刘禹州悄声说。

"他看不到我们,"黑桃八说,"穿越空间门后的三秒内,我们处于隐身状态,这是空间对接的特殊效果。一般而言,空间对接会自动筛选一个无人区域作为出口,尽量减少对现实环境的干扰。不过,也有实在避免不了的情况,比如现在。这说明在目标地理坐标周围五十米区域,实在无法找到合适的地点,只能将我们传送到一个相对合适的点。"

他刚说完,那个病人就从镜子里发现了他们,惊讶地转过头来:"你们?"

黑桃八若无其事地走到小便池前装模作样,刘禹州也只好赶紧跟上。

那个病人眨眨眼,看看他们,再看看卫生间的门,露出些许疑惑的表情。

等那个病人一步一回头地出去,刘禹州凑到黑桃八身边悄声说:"师傅,为什么咱们不用隐身?这衣服上不是有这个功能吗?"

"没必要。"黑桃八淡定地说,"那个功能有次数限制,每个月只能使用三次。"

这里是位于上海浦东的一家医院。医护人员各个行色匆匆，恨不得一路小跑；病号们神情萎靡，步履蹒跚，一步三摇。一股医院特有的消毒水味道让刘禹州忍不住皱眉。

"走吧，委托人在四楼，我们坐电梯上去。"

电梯里，在几名护士小姑娘古怪目光的注视下，刘禹州故作面无表情状，心里怦怦乱跳，默念道："我只是送快递的，送快递的……"

出了电梯没走几步，身后就传来叫声："哎，你们等一下。"

刘禹州浑身发紧，忍不住握紧了拳头。

黑桃八转过身去，从容应对："是叫我们吗？"

身后走上来一个保安，他上下打量着着装奇怪的二人，质问道："你们干什么？"

"送快递。"黑桃八直视着对方答道。

"送快递？"那保安明显有个愣神儿的动作，似乎出现了迷幻状态，眼神涣散，下意识地说，"哦，那你们走吧，记住这是医院，不要乱闯。"

"师傅，你对他做了什么？"刘禹州跟在后面好奇地问。

"不要问了，只是简单的催眠术，教学手册里都有，你还没学到。"

"哦。"刘禹州点了点头，决定回去拼命地学习。

"记着，干我们这行需要掌握各种技能，以应对不同状况。活到老，学到老。这是你需要学的第二课。"黑桃八摇晃着两根手指说道。

在走廊尽头有一间高级单人病房，黑桃八走到门前看看号码，对刘禹州点头示意："嗯，就是这里了。"

房间正中摆着一张可以自动伸展升降的单人病床，周围是几台闪烁着各种灯光数字的监护仪器。病床上，躺卧着一个老人，年纪在八十开外，形容枯槁，显然已经是到了油尽灯枯的阶段。床旁边坐着一个中年妇女，一脸的憔悴，应该是这老人的子女。她看到进来了两个陌生人，很是惊奇，冷声道："你们是谁？赶紧出去，这是私人病房！"

黑桃八看了她一眼，没有理会，只是冲着那个老人略微点了点头："我们是人生快递，很高兴为您服务。"说着他一挥手，掌心中的灵法笔光芒闪动，而那个正准备发火的中年女子一头栽倒在床上，昏睡过去了。

老人用浑浊的双眼注视着这一切，眼神中流露出一丝不安。

"不要紧张，她只是昏睡过去，一会儿就会醒来。我们之间的业务往来是保密的。"黑桃八脸上露出一丝职业化的笑容，"现在，您可以说出您的委托内容了。"

"我……我想要你们帮我送一件东西……"老人虚弱地说。

"没问题。"黑桃八干脆地答应，"请继续。"

老人喘了口气，继续说："是这枚……这枚戒指。"他颤巍巍地摊开左手，掌心里有一枚小巧的银戒指，"我要你们把它送到一位叫刘雅婕的女士手上。"

"好的，那地址呢？"黑桃八轻声问。

"咳咳咳……"老人咳嗽了几声，有些无奈地说，"我就是不知道该到哪里去找她。没有地址，我找了好些年，都没能找到……"

刘禹州暗暗皱眉，看了看黑桃八。黑桃八仍旧挂着职业的笑容，手举着手机，似乎在回忆些什么。

"我要死了，就要离开这个世界了。我不想……不想背着这么一个遗憾走，所以我找到了你们，你们可以帮我……对吗？"老人的眼睛一眨不眨地望着黑桃八。

黑桃八沉稳的声音响起："没有问题，请您相信专业人士。"

老人笑了笑，似乎刚才说了那几句话，已经用尽了他的力气，连手也举不起来，干脆就平放在身边，虚弱地说："请把它拿去吧，拜托你们了。呵呵，人生快递啊，还真是神奇……"

黑桃八上前，把那枚银戒指放进一个大信封中，然后说道："补充一句，我们的收费标准，您清楚吧？"

老人艰难地点点头，慢慢闭上了双眼。

"那么请您注意休息，业务达成之际，您会收到信息。再见。"

"我说师傅，这业务怎么做啊？就一个人名？咱们送快递的，怎么也得有个具体地址吧？"刘禹州跟在黑桃八的身后匆匆地走着，闪躲着来往的行人。

此时，他们已经离开医院，来到了大街上。

"要相信公司的实力。我们有强大的系统支持，可以进行定向的灵魂搜索。没有我们找不到的人，只要他存在于这个世界；哪怕他已经去世，我们都可以找到他的坟墓。别忘了，我们是专业人士！"黑桃八一直在摆弄着手机，连头也不抬，但脚底下丝毫不慢，很自如地在人群中穿梭。

突然，他停下脚步，定在那里大喊一声："找到了！"

刘禹州一头撞上他的背，赶紧立定站好，追问道："找到了？找到什么了，师傅？"

"找到这个刘雅婕了。"

"这么快？"刘禹州凑过去一看，更是惊呆了——黑桃八的手机上显示着一段简短却重要的介绍，把刘雅婕的坐标、身份等信息显示得清清楚楚。

原来，医院里的这位老人名叫郑天云，青年时期和刘雅婕是一对恋人，甚至已经开始谈婚论嫁了。上个世纪新中国成立之初，刘家远赴香港，二人被迫离散，从此天各一方。此后，郑天云虽然在家族的安排下娶妻生子，但对刘雅婕依旧念念不忘。改革开放后，郑天云也动用大量的关系和金钱到香港寻找，但只找到刘家在香港的一个暂居之所，而刘家人早就搬离该处，不知所踪了。

手机中的资料也显示出那个香港的地址，但也仅到此为止。

刘禹州虽然已经见识到了公司的神奇之处，但还是对如此强悍的信息收集能力叹为观止："我说师傅，这些情报都是从哪里弄来的？"

黑桃八看他一眼："当然是委托人给的，你以为呢？"

"啊？可那个老人啥也没说啊！"刘禹州此刻真如丈二的和尚——摸不着头脑。

"不用他说。"黑桃八淡然一笑，"他只要与我们达成协议，这些有关信息就会自动向我们开放。"

"你……你是说，思维？大脑记忆？"刘禹州被惊到了。

"答对了。"黑桃八得意地笑着说。

手机中不断闪过一张张画面，最后，一张老照片留在了屏幕上——"嗯，这个就是他最深刻的记忆了。"

画面中一对青年男女很亲密地拉着手，在湖边合影。黑白照片边缘已经发黄，但画面清晰。照片上的女子，笑容是那样甜美。

照片的下缘写道：1953年秋，摄于未名湖畔。

黑桃八启动了传输，将以上资料传回公司。

"师傅，咱们只有张照片，还是六十多年前的，这人可怎么找？"刘禹州还是有些疑惑。

"不要担心。公司在找人方面有独到优势，这个世界上不会有我们找不到的人，包括死人。"黑桃八深沉地说。

"那下一步怎么办？"刘禹州跟在黑桃八身后问道。

"先找个地方吃饭。"黑桃八收起手机，四处环顾一下，径直走向路边一家麦当劳。

"我来我来。"刘禹州抢着付款，"师傅，您坐这休息会儿吧。"

黑桃八吩咐道："记得要发票，回去报销。"

"哦？咱们吃饭还给报销？"

"那倒不是，但这一顿算是加班补助。咱们吃完还得接着干活去。"

"啊？不是吧，师傅！"刘禹州连连叫苦，"还要加班？咱们送快递的也得有时有晌吧！明天再送不行吗？"

"少废话。"黑桃八瞪了他一眼，"快递，啥叫快递你懂吗？争分夺秒，只争朝夕，这才叫快递，尤其是咱们人生快递，专业人士啊。"

刘禹州之所以这么叫苦不迭，是因为他晚上还有约会，林警官打电话约他晚上见面。虽然刘禹州也自知，这个美女看上自己的可能性微乎其微，但跟美女吃饭总好过跟大叔吃饭吧，而且吃的还是快餐。

黑桃八不紧不慢地吃着汉堡，看了他一眼，没好气地说："快吃，一会儿还得忙呢！"

"可我晚上有安排啊，师傅。咱这加班也不提前通知，没个准点。"刘禹州嘟囔道，"也真是的，白天啥事没有，偏偏要下班了来业务。"

眼看黑桃八就要瞪眼教训，刘禹州赶快转移话题："我说师傅，我看那个姓郑的老人手边没电话啊，他是怎么联系咱们的？难道不得通过热线吗？"

"不一定。"黑桃八收起了严厉的表情，一本正经地给他上课，"只要委托人能够看到咱们的业务广告，并且，将广告上那个电话号码在脑子里过一遍，就可以和我们的接线员搭上线。电话只是个形式，没有电话也一样可以通话。"

"思维沟通？"

"对。只要委托人和我们接线员在思维沟通中确定需要服务，那么这项委托就会成立。当然在确定之前，接线员会把收费标准告诉他。"

"那有没有觉得我们收费太高，取消业务委托的？"刘禹州兴致勃勃地问。

"历史上，曾经有过。"黑桃八说，"但是很少很少。要记得，能够拨通我们业务热线的人，都是心中有强烈愿望的，为了达到目的可以舍弃一切的那种。只有被强烈的信念驱动的人，才有机会接触到咱们的业务热线。对于这些人，财产已经不是什么重要的东西了。莫说一半，就是全部，他们也会接受。比如说，今天这个郑老人，他就要离开人世，财产对他而言还有什么意义吗？还有上次那个少年，为了救他爸爸的性命，他可以舍弃一切的。"

"明白。不过师父你刚才说也有人取消过委托？"

"嗯，"黑桃八脸上闪过一丝阴霾，"确实有。不过，我个人以为，那不能称之为人。我就遇到过……"

叮叮叮……黑桃八的手机响了，他拿起来看了看说："有消息了，收货人的信息已经锁定，我们赶紧出发。"

"啊？真的吗？这么快，我还没吃饭呢！"

"赶紧动身，我们是人生快递，是专业人士。"

两个人迅速走进洗手间。黑桃八见左右无人，双手一拍，启动了空间门。

刘禹州跟着黑桃八，从传送门里一走出来，就发觉周围的景致不同。他刚才所在的上海，环境和眼前这种热带海岸景观有很大区别。此刻他站在沙滩上，盯着不远处的大海愣神儿。

"咱们这是……这是到哪儿了？"刘禹州觉得有些腿软，气血翻腾，心脏狂跳，好像狂奔了八百米一样虚弱。

黑桃八身子也晃了一晃，长出了一口气才说："咱们应该是在台湾的基隆市。这里叫什么……八斗子海滨公园。你感觉怎么样，能坚持住吗？"

"还好，就是觉得有些疲惫。"刘禹州一边苦笑着回答，一边做着深呼吸。

"这种长途穿越空间，很耗体力，所以才要你加强身体锻炼。"说着，黑桃八掏出手机看了看地图，地图上有个光标在不停地闪动。

"长距离的传送本身误差就会被放大。我老了，控制能力下降，这次误差更大了，我们还得徒步行进大约三公里，才能找到收货人。"

刘禹州没敢再说什么，乖乖地跟着师傅走路，心里冷笑着想：师傅你真棒，没把咱们俩传到海里。

两人穿越到这里耗费了大量体力，剩下的三公里路程只好选择乘车了，好在不远处就有车站。

车站里，几位大爷大妈用奇怪的眼神看着他们俩。也难怪，这一身长袖工作服，看起来跟当地环境格格不入。

黑桃八气定神闲，毫不在意。刘禹州心里就有些发虚，只能做目不斜视状，心里却想：不是说这个衣服可以降低存在感吗？怎么我没觉得有啥效果，反而很引人注目。

黑桃八看他紧张，拽了拽他的衣袖，说："别紧张，他们看不见咱们，这都是你的心理作用。"

公共汽车来了。黑桃八当先上去，径直走到了最后一排。刘禹州还在犹豫到底要不要投币，转身看见老大妈已经要上来了，只好蹑手蹑脚地跑到了最后。

这是一栋很高档的别墅区。面积不小，里面绿树成荫，四面有高高的围栏，门口还有保安。不过，在黑桃八的带领下，两人很顺利地就到了目标所在地——一栋漂亮的花园别墅前。

叮咚……黑桃八按响门铃。

"谁呀？"对讲器闪亮。

"送快递的，我们找刘雅婕女士。"黑桃八回答。

"刘雅婕？没有这个人啊……你等一下。"那边一个女人说道。

过了好一会儿，有一个菲佣出来，把两人迎了进去。

沙发中央坐着一位老太太，虽然满头银发，但精神很好。在她身侧，坐着一对夫妇，五六十岁的样子。夫妇身后，站着一个青年，标准的人生赢家打扮，衬衫西裤，戴着黑框眼镜，文质彬彬的。这三个人都用一副惊疑不定的神情关注着老太太。看到黑桃八和刘禹州进来，又换了诧异的眼神打量他们。

黑桃八昂首挺胸，径自走到茶几前一米处站定，冲那老太太微微颔首，开言道："您好，我们是人生快递。很抱歉这么晚打扰您。请问，您是刘雅婕女士吗？"

老太太眼神微微一凛，仔细打量着黑桃八，半晌才说道："刘雅婕？不错，我曾经叫过这个名字，那是很久以前的事情了。已经很多年没有用过这个名字……你们是谁？"

黑桃八保持着笑容继续说："那没错，就是您了。这里有您的快递，请签收。"

老太太看着他递过来的那个信封，情不自禁地有些激动，身子也往前艰难地坐直了，似乎预感到了什么，抬头看着黑桃八。她身后的年轻人赶忙上前搀扶着她。

老太太没有接，只是轻轻叹口气，说："你们……是怎么找到我的？"

这句话一出，那对夫妇和那个青年都是面色一变，一齐看向黑桃八，脸上露出不安的神色。

"妈……"

"奶奶……"

老太太摆摆手："不碍事，别紧张，我就是随便问问。要知道这个名字从我离开香港起，五十年都没有用过了。想不到，居然还有人记得。更想不到，还有人能找到我。你们……是……是？"她脸上流露出一丝希冀，眼神也亮了起来。

"您打开看看就清楚了。"黑桃八递上灵法笔，提示道。

老太太接过笔，迟疑了一下，在那信封上一笔一画地签下自己的名字——刘雅婕。

信封消散，一枚小巧的银戒指缓缓落下，飘落在刘老太太的手心。

刘老太太注视着自己的掌心，脸上的表情难以形容，有甜蜜、有惊讶，也有苦苦的追忆。

此时此刻，在遥远的北方，陷入昏睡的郑老人突然睁开眼，盯着窗外月光下的那棵大树。

在树冠上，众多枝桠分分合合，组成了一个圆圆的镜子，镜子中呈现出的，正是刘老太太手捧戒指的那幅画面。几秒钟后，镜像破碎，树冠又恢复了原来的样子，似乎一切从未发生。

在郑老人的脑海中，响起一个声音："您委托的业务，已经完成。"

世间最苦，苦不过聚散不由己；世间最难，难不过情逝再回头。郑老微微笑着，缓缓闭上双眼，陷入了永远的沉睡。

　　黑桃八和刘禹州早就告辞走了，而刘老太太却一直沉默着坐在那里。她的家人围坐在一旁，很惶恐地看着她，不知道该怎么办才好。那一对夫妇互相使个眼色，老婆悄声对老公说："大力，咱妈这是怎么了？大晚上突然把咱们叫起来，都一个小时了，也不说话。是不是有什么问题？"

　　"好奇怪啊，我觉得应该是有什么事情发生过。你觉得呢？"男的说。

　　"我也觉得好像是有些什么东西忘掉了，似乎是跟咱妈有关。待会儿问问她，到底是怎么回事吧。"

　　站在一边的青年打了个哈欠，嘟囔道："奶奶，还有事吗？我得回去睡觉了，这一天上班太累了……"

　　刘老太太突然清醒过来，紧紧地握住掌心里那枚细小的银戒指，吩咐道："阿力，准备一下，我要去大陆一趟。要尽快！"

　　出了别墅区，刘禹州长长出了一口气，高兴地对黑桃八说："师傅，咱去吃点儿东西吧，好容易来一趟，咱尝尝宝岛风味。"

　　黑桃八欣然同意。

　　基隆市的夜生活还真是丰富，很多地方都正是热闹的时候。二人选了一家稍微偏僻点的大排档，点了海鲜和当地特色小吃，开始大快朵颐。

　　完成了任务的刘禹州轻松地感叹道："真好啊，师傅，希望咱们以后多接点这样的活，在帮助别人的同时还能到处看看，品尝一下各地美食。费用还能报销，我觉得咱这工作真不赖。"

　　"嗯？谁说要报销的？我今天没带钱，这顿你请。"

　　"哎，师傅，您那会儿不是说咱这是加班，可以餐饭补助吗？"刘禹州大惊失色。

　　"是啊，那会儿是加班没错，可业务完成之后，就不算加班啦。"黑桃八一边剔着牙一边回答着。

2

之后的两天，都没有业务上门。刘禹州非常认真地学习了一下前几天接到的资料，算是把所谓"人生快递"的基本信息都搞明白了。

原来这家公司的成立历史已不可考，但有资料记录至少上百年了。正如刘禹州所见，这是一个拥有着神奇能力的特殊机构。无论是穿梭空间还是灵魂契约，都不是当下的科技手段能完成的。甚至有些东西该不该用科学来解释，都是个问题。也正因为如此，公司对从事的业务以及属下员工的工作方式做出了严格的限定，以确保这种能力不被滥用。

公司的业务，仅仅限于提供快递服务。用专业话语来描述就是以尽量节约时间的方式，为客户进行物质传送，点对点地送达地球任何一个角落。

如果仅仅如此，那么人生快递与普通的物流公司也并无区别。事实上，人生快递所传递的，不仅仅是物品，更重要的是承载在物品上的愿望。是的，"愿望"！刘禹州是这么理解的，虽然黑桃八认为他肤浅，可是除此之外要找到一个更合适的形容词，还真不容易。

每天，人们面对着无数事，从而产生不同的愿望，当这些愿望强烈到极致，有人愿意为此付出任何代价的时候，就满足了人生快递服务的触发条件，进入了人生快递公司的业务范畴。除此之外，再无其他可能让公司接受委托。就如公司广告中所描述的——"我们为人生传递大爱，为命运传递心声，为绝望传递希望。"

在公司的小健身房里，刘禹州对着阅读器，在黑桃八的严密监视下，一边大声朗读，一边做着俯卧撑。

这些业务委托各式各样，传递的东西不拘形式，千奇百怪，但无一例外符合以下条件：

1.传递的物品必须符合委托人和收货人所在国家法律法规的限定条款，不得传送任何违禁物品。

2.传递的货物大小限制在一定规格，不超过一个手提箱大小，材质不限。

"公司不负责传递货主的留言。公司认为，有东西就足够，再说就是多余。当然业务人员认为有必要提供额外服务的另议。

"收费标准是统一的——委托人全部财产的一半。全部财产的定义，除了现金之外还包括各种可以折现的有价证券、地产、古玩等等。当然必须是属于委托人名下的。

"当业务委托完成之后，委托人的这些财产将自动转卖，折现，转移至公司的账户中。目前，公司拥有若干个账户，对外全部是慈善基金的名义，所接受的财产也都按照捐赠项目来处理，避免了现实中的很多麻烦。"

刘禹州依次念着条款。

"顺便说一句，我们的工资也是从这些基金名下支取，按照不同工作人员的待遇发放。"黑桃八插言。

刘禹州更加清楚"委托人全部资产的一半"的概念了。有亿万富翁，一个委托就价值上亿；也有穷苦人家，凑来凑去，不过百八千块，但他们都享受同等的服务。在公司的原则上，他们所寄托的情义是平等的，是不可用金钱来衡量的。

"委托人有没有赖账的？"刘禹州很关心这个问题。

"曾经有过。按道理说，公司与委托人之间达成的是灵魂契约，无法违背。可世界之大，无奇不有，真有那种执念很深，对财产看得极重的，居然可以突破灵魂契约的限制，赖账不给。这种情况现在越来越多了。"黑桃八脸上露出些许无奈，"公司也有专门的部门来处理这种事。唉，现在的人，怎么能堕落成这样……"

"堕落？"刘禹州有些不爱听，心想你是不是对我们这一代人有意见？我们怎么堕落了？

"不是指你们这一代人，是这个世界在堕落。"黑桃八听出了他的不满，"简单地说吧，以前，我们一天会接到很多业务，公司里十几个快递员都忙不过来。"说着他指着外边座位上的老人影像，"他们都是我的前辈，都是原来公司的快递员。大家每天都忙得团团转，却从没出现过违背灵魂契约这样的荒唐事。这十几年来，业务越来越少，而且不断地出现违背灵魂契约的现象，这说明什么？"

"说明什么？"

"说明现在的人认为，没有什么是比钱更重要的。"Q姐从外边走过来，端着水杯插话道。

"所以呢，公司里的人也越来越少了。现在，正经的业务员就你我两个。"黑桃八说了实话，"而且，我也要退休了，找你来就是为了接班。不然，我们公司就没人做业务了。"

刘禹州扫了一眼Q姐，想要博取同情，好让自己休息会儿。

黑桃八看出了他的心思，严厉地说："你以为Q姐不累？她现在是公司的老总加助理加财务加出纳加行政加接线员加后勤……"

"小子，你以为昨天找那个老太太很好找？知不知道我费了多大劲儿？"Q姐瞪着刘禹州说，"知不知道我一天要接多少个电话？嗓子都说冒烟了！还有这些杂七杂八的公司事务，我每天都忙死了。"

"哎呀！Q姐、师傅，我也没说你们不累啊，就让我休息会儿吧。"说着，他从地上坐了起来。大家聊了聊最近的工作情况，刘禹州终于鼓起勇气，张嘴问道，"老板，咱这儿做业务是不是有计件提成？"

"计件提成？"Q姐反问道。

刘禹州一阵心虚，赶紧补充："那个……我是听人家别的快递公司都是这样——"

"没有。"Q姐果断地掐死了刘禹州这个念想。

"没有啊？要我说咱们这个绩效考核制度还不完善——"

黑桃八果断伸手打断，将刘禹州按倒在地，继续加练。

晚上，刘禹州如约来到一家上岛咖啡和林警官林巧儿见面。这场本该在昨天的约会，因为去了台湾，不得不推迟到今天了。

刘禹州没想到林巧儿会主动和自己联系，还约出来吃饭。哈哈，这说明什么？他忍不住想笑。

正胡思乱想着，远远地看见林巧儿走了过来。今天她换了一身休闲便装，苹果绿的T恤和石磨蓝的牛仔裤，衬托得她身材高挑，看起来更加清丽动人。

两人也不能算熟，见面还是比较拘谨。客套话说完，刘禹州就有些词穷了，赶紧低头装着点餐。倒是林巧儿谈笑自如，直接进入主题："今天找你，主要是想谈谈苏苏的事情。"

"苏苏？苏苏怎么了？"刘禹州有些莫名其妙，心底也有些丧气，即便是做好思想准备，但这么直白地挑明跟自己无关，还是多少让人有些失落。

"是这样，我们一直找不到苏苏的家人。"林巧儿很无奈地叹气说，"那几个人贩子说是在路边捡到的小孩。可我们到他们说的那个地点去调查了，没有人认识苏苏。而且那里也是外来人口聚集之地，估计苏苏的家人多半也是外地路过本市，现在已经不在那里了。"

"这样啊。"刘禹州也不知道该说什么了，他从心底里觉得这些和他没多少关系。

"苏苏在纸上画的那幅画，你看到了吗？"林巧儿盯着他问。

"画？哪张画？啊……看到了。怎么，有问题吗？"

"那张画上，有一串电话号码一样的数字，我不知道你注意到没有。"林巧儿继续追问。

刘禹州看她一眼，笑了笑，一边心里胡乱寻思着，一边嘀咕道："是那个什么跟麦当劳一样的电话号码？我看到了。"

"我觉得这个号码很奇怪。我记得那天在你家，你好像也对这个号码有很强烈的反应，你是在哪里见过吧？"林巧儿的直视让刘禹州浑身不舒服。

他不仅暗暗叹气，心想：难怪这个女警官会那么好心地请自己吃饭，果然是没安好心。

"哦……那个，你理解错了。我哪里见过……我只是对苏苏的画有些惊奇，那么小，画画得就那么好，比我强，绝对有培养前途。"刘禹州信口开河地忽悠，反正就是不承认他见过那个号码。

"是吗？那真是遗憾。我本来以为，可以通过这个号码来找到苏苏的家人呢。可我打过那个号码，居然是空号，电信局也没有登记。可苏苏跟我表示，她确实见到过那个号码，而且，就在那栋楼上。那栋楼我也去了，完全没有啊。真是奇怪……"

"小孩子嘛，哈哈，肯定是记错了。"刘禹州打着哈哈说。

"不太像。苏苏不像是记错了，她肯定见过这个号码。这说不定就是一个线索，可以帮我们找到苏苏的家人。刘禹州，你认真想想，你见没见过这个号码？"林巧儿很认真，而且语气开始生硬起来。

刘禹州也冷冷地回答："林警官，我都说了，我没见过，你还要我说几遍？我很欣赏你为寻找苏苏家人做的这些努力，不过，这些事情跟我没关系，我也不希望跟我有关系。没什么事的话，我先走了。"他站起身来走出两步，又回头说，"对了，代我问苏苏好。"

"哎，你这人怎么这样？"林巧儿没想到他反应如此激烈，有些手足无措地看着他。

人生快递这个秘密，刘禹州是不会对别人透露的。一旦牵涉到这个，刘禹州就本能地觉得危险。他倒不是不相信以公司的能力会无法保护自身的秘密，但他总觉得多一事不如少一事，自己是个小人物，会不会引来什么麻烦？那还真的很难说清楚。更何况，林巧儿的态度让他很不爽。那么咄咄逼人，拿自己当嫌疑人审问。

第二天一早，刘禹州来到公司就找到了Q姐。

"Q姐，请教个问题。"

"你说。"Q姐永远都是那么忙，头也不抬地说。

刘禹州伸长脖子看了看，自己申请报销的单子还在桌子边上压着，上面堆放着一些乱七八糟的东西，于是他替Q姐把文件整理好，当然主要是把自己的单子放在最上边，之后才开口继续说："按照我了解的情况，一般人是看不到我们公司业务广告的，没错吧？"

"没错。继续。"

"那我是怎么看到的呢？我当时可并没有什么强烈的意愿，不打算叫快递的。"

Q姐淡定地回答："公司需要你，你就会看到，而且你看到的是招聘广告。"

"需要我？难道说咱们公司这个招聘还是定向定人的不成？"刘禹州很是惊讶。

"可以这么说。"Q姐终于抽空把脑袋朝他这边歪了一下，饱含鼓励地说，"能够被我们选中的应聘者，起码都是人才，对空间异常或者灵魂交流相对敏感；而且，还得是心术端正、乐于助人的人。我记得你那时候正在奋不顾身地救人，对吧？也只有在那种情况下，你强烈的灵魂波动才会被公司系统选定，让你看到我们的广告，很不容易呢！好好干，小子，你是公司未来的希望。"

"公司的希望？"刘禹州腮帮子鼓了两下，心说咱公司已经只有两名快递员了，一天都没啥业务，就快倒闭了，我还有什么希望。

"还有啊，老板，"他接着问道，"跟我同时，还有一个小姑娘，她也能看到我们的广告，难道她也是公司的希望之星？"

"哦？这样？"Q姐转脸看向他，问道，"多大了？"

"啊……我二十四。"

"没问你，我问那个小姑娘。"

"哦，大概六岁，怎么了？"

"那倒是有可能。她有什么比较特殊之处吗？是不是个天才儿童，很聪明的那种？"

"天才？我倒是没看出来，会画画算吗？不过，这个孩子很可怜，是个哑巴，天生不会说话，而且还是个被拐卖的无家可归的孩子。"

"那就对了。"Q姐说得理所当然。

"什么？老板，什么就对了？"

Q姐很认真地跟他解释道："一般而言，六岁以下的儿童，对灵魂波动相对敏感，有很小的几率会发现我们的存在，比如说我们穿梭空间时留下的痕迹，或者与他人签订契约时显露出的异常等等，能看到我们的广告也不意外。尤其是一些先天上有所不足的孩子，在这方面反而更加敏感。你说的这个小孩应该算一个。她可以察觉到我们的广告，那也是跟我们公司有缘，看看吧，作为一个后备人才。"

刘禹州站在那里琢磨了半天，鼓起勇气，问道："老板，我还有一个问题。"

"问吧。"Q姐把头埋在电脑前说。

"咱们公司是合法的吧？那么多神奇的装备让我不得不怀疑这一点。另外，我每天上下班路过楼下，大门口那个保安都很注意我，你得想个办法。"刘禹州说道。

Q姐忍不住哈哈笑了一声，只不过那笑容稍纵即逝，又板起脸来说道："你只要记住我们现在在干什么就好了，用心把自己的事情做好。"

"是，我是这样做的。可老板……"刘禹州无奈地说，"可我也不想被人看成怪物。这样神神秘秘的，早晚我会被人误以为从事非法行业啊。"

"尽管放心打消你的怀疑吧。另外，楼底下那个保安是你的前辈，要尊重他，懂吗？"

"啊……那我知道了。"刘禹州没有想到楼下的保安居然也是这家公司的，原来他也在注意自己的言行举止。

既然没有业务，回到自己的工位，刘禹州也只能专心学习那些理论知识了。刘禹州觉得这家公司越来越神秘了，有必要好好了解一下。

还没看多久，黑桃八就过来了，他将手搭在刘禹州的肩膀上说："小伙子，跟我走。"

刘禹州就这样云山雾罩地被带进了健身房。

"干咱们这行，一定要有个好身体。"黑桃八手拿教鞭，在他身边徘徊，严厉地说，"穿梭空间对身体的损耗很大，你已经体会过了。越是长距离的穿梭，越是困难。身体不好，很有可能被直接压垮。所以，要坚持锻炼。"

跑步机上，两只小腿上都挂着沙袋的刘禹州高举着手要求发言。

"你说。"黑桃八用教鞭敲敲他的背。

"师傅，这个……开启……空间门有……有时间限制吗？"

"很好，你注意到了这个问题，要表扬。开启空间门当然有限制。最低的时间间隔是三分钟。开启一次空间门之后，必须等待三分钟我们才可以再次进行操作。而且，在长距离穿梭之后，这个冷却时间还将延长。具体与穿梭空间距离成正比。比如，那一次我们在本市内穿梭，距离十五公里，冷却时间就是三分钟；而上次穿梭到台湾，距离超过一千公里，冷却时间就延长到半小时以上。"

"明白。师傅……我们……我们这个锻炼……得有个……有个标准吧，差不多……就可以了。"

黑桃八不屑地看他一眼，再瞧瞧跑步机上的数据："你这才哪儿到哪儿？不过是个中超球员的平均水平。接着练，英超球员的标准算是基本合格，练到美国职业橄榄球运动员的身体素质就差不多了。"

3

下班的时候，黑桃八溜达过来，顺手塞给刘禹州一个小瓶子。

"什么？"刘禹州端详着瓶子问，"是丹药？"

"养元丹！"黑桃八没好气地回答，"公司给业务员的福利，补充身体营养的，省着点吃，一天一粒。"

"哈哈哈！真是丹药，我就说嘛，这么多修仙的哪能没丹药呢。"刘禹州咧嘴大喜。

"少说废话，跟修仙有什么关系啊！记得晚上早点休息，吃什么也不如好好睡一宿。手机开机，随时保持信息畅通，明白吗？我觉得，今天晚上就要有业务来。"

"师傅……"刘禹州苦着脸，没好气地看着黑桃八说，"咱能不能不乌鸦嘴。"

果不其然，晚上九点，刘禹州正要洗澡睡觉，手机滴滴滴地响了起来。

"有业务，速到公司会合！"

"人生快递，无论何时，无论何地！"一路上黑桃八就向刘禹州传递着这个公司理念，让刘禹州一肚子郁闷：送快递也要休息啊，不然你三班倒也行！就咱两个人没日没夜地干，一点儿劳动权益保障也没有。

很快，他们来到某个临着长江的著名大城市。

黑暗中，小巷的尽头跑过来一名男子，大约四十岁，身体略微发福，跑得满头大汗，原本一身名贵的休闲衣裤都被撕破，显得狼狈不堪。

他刚跑到巷口，就被左右两边埋伏的两个大汉给打倒了。

"跑，叫你再跑！"一个大汉低声嘶吼，用脚狠踢着男子的身体，男子的哀号声一声比一声凄厉。

不多时，从巷口又跑出来两名男子，手中都拿着棒球棍，看到目标已经被制服，忍不住松了口气，站在那里喘息不定。

"小子，还挺能跑。累死我了……你以为能跑得掉？"

"赶快，搜搜，赶紧把东西找出来，好早点让这小子投胎……"

那男人哀求："各位好汉，饶命啊，我没得罪各位……"

"得罪我们？当然没有。我们哪认得你是谁？小子，你拿了不该拿的东西，赶紧交出来，哥儿几个给你一个痛快。"

"我……我根本不知道你们在说什么，什么东西，我什么也没拿啊——哎呀！别打了……"

"小子少装蒜。再告诉你一句，白三爷看上的东西你也敢要，你就是不知死活！"

"我……我不认识……咳咳，什么白三爷……"

"打！"

"小子，你昨天在那家古玩店里买的那个手镯呢？"一个打手搜遍了男子的全身，只拿到一部手机，忍不住有些恼火，狠狠地给了他一记耳光，逼问道。

男子已经被打得奄奄一息，呻吟道："没……没什么……没什么手镯。"

"嘿嘿。"那个打手冷笑一下，正要再打，突然身后传来一个声音："请先等一下。"

从黑影里走出两个人，一高一矮，正是黑桃八和刘禹州。

黑桃八很有礼貌地冲着几个人点点头："各位，先等一下。我们和这位先生有点儿业务要谈。"

四个打手惊疑不定，互相看看，脸上都露出一丝阴狠。

其中一个指着黑桃八说："谈业务？去你妈的，给我动手！"

刘禹州立刻拉开了架势，环视四周，寻找板砖。在学校时，他也是打群架的一把好手。

黑桃八向前走了几步，摇头叹息："这是何必呢……"说着弓步冲拳，侧踹，半步崩拳，左回旋后扫腿，横肘上勾拳！

眨眼间，四个大汉纷纷倒在地上，低一声高一声地惨叫。

黑桃八回头瞅一眼目瞪口呆的刘禹州："看到没，叫你学习那些技能，都是有用的，我们必须作好随时应付这种局面的准备，了解？"

刘禹州赶忙点头。

一个打手在地上挣扎着，恶狠狠地叫道："小子，你们是哪条道上的，敢跟我们作对……"

刘禹州用目光向黑桃八请求指示，黑桃八无所谓地点点头，刘禹州立刻上前一脚踢过去，让他彻底闭嘴。

黑桃八走到那个被追杀的男子身前蹲下，职业的笑容浮现在脸上，说："您好，我们是人生快递，有什么需要效劳的？"

那男子痛苦的脸上露出如释重负的笑容："真的……真的有用啊？哈哈哈！我……我还以为是幻觉……"

黑桃八看着他，再次说："我们是人生快递，请问有什么可以效劳的？"

"好，好。我要你给我杀了他们，杀了这些混蛋！"男子咬牙切齿地吼叫，手指着那四个倒地不起的打手。

黑桃八神色淡然地说："对不起，我们是快递公司，不提供其他方面的业务。您有什么东西要送吗？"

"哦，对……要送，要送。"男子喘了口气，艰难地坐起身，四处寻找，手指向一个打手的方向，"那部手机，那是我的手机。我请你们把它送给我儿子，立刻，以最快的速度！"

刘禹州走过去，从一个昏迷的打手手里拿过一部手机，递给黑桃八。黑桃八掏出大信封把手机装了进去："好的，我们会在最短时间内送达。"

刘禹州点点头在一边搭腔："请您相信专业人士。"

"好了，祝您一切顺利。"黑桃八起身离开。

"哎，那位先生……"那男子惶急地在身后喊，"你们不能这样把我扔下不管啊，先生，帮帮忙，送我去医院，帮我报警啊先生，你们别走……"

黑桃八头也不回，领着刘禹州消失在夜色之中。

刘禹州不时回头看看，有些忐忑地问："师傅，咱们这样……好吗？"

黑桃八并没有停下，随口说："什么好吗？"

"我说，咱们就这样把他扔下，会不会有问题？"

"有什么问题？"

"万一那些打手醒过来咋办？这个可是出人命的事情啊。咱们……"刘禹州小心翼翼地说。知道这样说会遭到师傅的责备，但是不说，又觉得良心不安。

黑桃八沉默片刻，继续前行，冷静地说："可能你觉得我们这样是冷酷无情，不过，我还是要告诉你，再告诉你一遍，你要记住，咱们只是送快递的，其他的一切，现实中的事情都与咱们无关，明白吗？"

"我……似乎是明白。咱们这种特殊的职业，不得干扰现实中事件的发生发展。不过师傅，这是不是……有些太……太那个？我们不去做坏事，难道还不能做好事？行善积德这总没错吧，咱们修行不就讲究这个？"

黑桃八侧目看了他一眼："你网络小说看多了吧，哪儿那么多怪话。什么行善积德，跟我们业务有关系吗？再说，什么是善什么是恶？你分得清楚吗？你知道刚才那个人是谁？他为什么被追杀？你以为救了他就是行善？错了，小子，告诉你，那个人手底下有两条人命，他是个潜逃多年的杀人犯。"

"啊？"刘禹州一下子被吓住，愣了半晌才说道，"那……那我们为什么还要帮他？"

"什么叫帮，小子？"黑桃八没好气地说，"这是业务，业务。他开启了我们的业务模式，我们来做业务。"

"杀人犯也能要求我们做业务？"

"废话。在我们看来，他只是一个客户，不是什么杀人犯。"

"这……不是助纣为虐吗？"刘禹州不满地说。

"这只是业务，咱们是专业人士……算了，我再多说一句，要是我告诉你，这个杀人犯杀的其实是两个企图强奸妇女的坏蛋，你怎么想？是不是以为他就是个英雄了？小子，不要想那么复杂，对于咱们来讲，他们是谁，什么身份，干了什么，在干什么……都不重要，咱们只考虑他的委托，努力去完成它，就这么简单。"

刘禹州一脸的茫然，理智上感觉黑桃八说得对，可怎么都觉得自己有些难以接受。不管怎样，救人性命总是件好事吧，难道不应该吗？

黑桃八堪忧地摇摇头说："算了，你慢慢就会理解的。不过我警告你，在外面做业务的过程中，严禁去做与业务无关的事情，这是你的第三课，明白？"

"明白。"刘禹州点点头，不再多说。

黑桃八这次开启空间门的定位相当精确。他们直接出现在了一个歌厅的包厢里，里面空无一人。

"这里是日本大阪，目标就在隔壁。"黑桃八看看手机上的提示说。

二人出门，站在隔壁包厢的门口对视一眼，黑桃八冲刘禹州点点头，说："你来吧这次。"

刘禹州深吸一口气，脑子里迅速过了一遍流程，伸手在门上敲了几下："对不起，打扰了。"说完推门而入！

然后，他就僵在了那里。

黑桃八不满地从他身后挤进去，眼前的场面让他不禁感到难堪，难怪这小子愣在那里了呢，他们的目标人物正与一名赤裸着身体的妙龄女郎缠绵呢。

"喂！你们干什么的？"眼前的少年看到两个陌生人闯进来，忍不住大骂。他说的是一口走调的日语。

"咳咳，我们是人生快递。先生，有您的一份快递，请您签收。"黑桃八一伸手把刘禹州划拉到一边，顶上去。关键时刻还得看老同志。

那个少年一脸的警惕，听到这个开场白，转瞬间又是一脸的迷茫："快递？什么？你们是送快递的？"这次他说的是中文。

他脸上闪过一丝青气，又完全潮红，顿时爆发："滚！有你们这样送快递的吗？老子差点被你们吓死了！"

刘禹州也不是个好脾气的，刚开始还有些愧疚的心灵完全在这顿狂骂之间扭转了一百八十度，眼睛一瞪，就要给这个小子来个厉害的。

黑桃八伸手制止了他："记住这是业务，要端正心态。"

过了一会儿，那少年骂累了，喘口气，瞪着眼道："啥快递？赶紧拿来。"

黑桃八递上那个大信封和银色的笔："请您签收。"

"什么破玩意儿？我家老头子寄来的？"少年不耐烦地看看，随手写下自己的名字，把笔扔还给黑桃八。

光芒一闪，那个手机出现在少年手里，这顿时让他大为恼火，随手就把手机砸了出去。"这老家伙搞什么，早叫他再寄点钱，不知道我这缺钱啊，寄这个破手机有什么用！"少年咆哮着叫骂。

此时此刻，在遥远的中国内地，那个中年男子看着恶狠狠地走上来的打手，视线一偏，落在墙上一块斑驳的海报上。那海报上诡异地闪动着一幅画面，正是他儿子拿起手机的那一刻。画面一闪即逝，后面他儿子暴怒摔掉手机的画面他并没有看到，只是耳边传来一个提示："您委托的业务已经完成。"

他把眼睛一闭，暗暗地舒了一口气：儿子，那块玉镯，可是值好几百万的东西。我把它藏在银行的保险柜里，地址和密码都在手机里存着，你的下半辈子应该有着落了。老爸就不能再供着你了，你好自为之吧。

刀光一闪，鲜血喷涌。

黑桃八和刘禹州从歌厅出来，走在闹哄哄的大街上，没走多远，刘禹州就忍不住问道："师傅，我们不提醒他一下？"

"提醒？提醒谁？哦，你是说那个小子？"黑桃八眼光四处游荡，扫视着街上那些穿着暴露的女郎，"为什么要提醒他？"

"可……可那个男人用命换来的东西，就这么没了。我觉得，有点太残酷……也不是，有点可惜？"刘禹州也不知道该怎么说才好。

黑桃八笑了笑，云淡风轻地说："收货人如何处理货物，与咱们业务无关。走吧，咱们吃点夜宵，这次我请客。"

吃完饭后，在一家小商店，刘禹州挑选了半天，选中了一个卡通熊，这是给苏苏的。不知为何，他对这个被自己救下的小姑娘有着异乎寻常的感情，就好像自己的女儿一样。虽然他的年纪还不足以做六岁孩子的父亲，但是他敢百分百肯定，那就是一种爱，诚挚的爱。

他拿起旁边一个小小的布猴子，布猴子有很夸张的圆眼睛圆脑袋。记得小林警官是属猴的，这就算是个小礼物吧，那天自己的态度太恶劣，怎么着人家也是好心，想帮着苏苏找家人。自己的应对有些失礼，应该要赔礼道歉。嗯，顺便请她出来吃个饭？或者看看电影？刘禹州给自己找着借口。黑桃八在一边背着手，满脸狐疑地看着他。

等刘禹州要去交款的时候，黑桃八伸手从一堆布娃娃中挑出一个小鲸鱼，放在他怀里："这个，一块儿交了。"

"嗯？"刘禹州奇怪地看着师傅。

"给我孙女的。"黑桃八转过头去说。

一算账，那个小鲸鱼居然最贵。刘禹州唏嘘道："不愧是老手啊！"

4

"现在开会。"Q姐敲敲桌子，冷声道。

参加会议的黑桃八和刘禹州正儿八经地在她办公桌对面落座，一言不发。

"第三季度，我们的业绩同比下降了百分之五。"Q姐拿着一张报表大声说道，"这样不好。"

今天是季度工作总结会，Q姐提议召开的。她是老板，咋说咋干。刘禹州刚上班时间不长，一副无所谓的样子，就带着耳朵听，心想追究责任也追究不到我头上。

"究其原因，还是因为我们单笔业务委托成交额的下降……"Q姐继续分析问题。

也就是说委托做业务的穷人越来越多，富人不断减少。刘禹州这样理解。

分析问题，解决方案，动员鼓劲，领导指示。会议的流程进行得很顺利，很快就是领导最后总结了：

"这个会的精神，大家要认真领会……深入理解和贯彻……那个啥，季度的绩效奖金就先缓缓，等下半年完成任务一块儿发！"

"啊，黑啊，"老板真黑！刘禹州暗自叫骂，"开这个会估计主要目的就是为了说这句吧。"

会后，刘禹州走到黑桃八的桌前，悄声问："师傅，咱这个奖金是咋算的？有我的份儿没？"

黑桃八低头看报："当然有，转正之后就有，具体得去问老板。"

哈哈，还真有啊，那我得问个清楚。刘禹州心生暗喜，转身就要去问Q姐。

黑桃八在身后喊住他："不过我劝你不要惦记。"

"为啥？"刘禹州有些奇怪。难道欺负我新来的？不打算给了？老板黑也不能不讲道理。

"因为我工作了三十年，还从来没拿到过呢。"

"啊？不会吧。"

"不是不给。"Q姐很耐心地给刘禹州解释，"是攒到你退休一起给，保证你后半辈子衣食无忧。"

"就像养老保险？"刘禹州皱眉，"可养老保险是国家规定要上的，这个跟奖金两码事。再说，谁能在公司干一辈子？这又不是国企铁饭碗，是铁饭碗也得我愿意端着才行啊。"

"嘿，小子，入我门来，可由不得你了。"Q姐冷笑道，"你啥时候退休离开本公司是我们说了算。"

"啊？不会吧，这……还有这样强迫的！"刘禹州嚷嚷道。

"哼哼，当初你可是签了那个用工合同的，上边都有写。"Q姐板着脸说道。

刘禹州一下子慌了，心里一直在念叨：我就说这是贼船，上来就下不去了。

"难道，我……我真的就要卖命一辈子？"刘禹州有些悲苦，又有些恼火，感觉被耍了。他有心想翻脸，大吵一架，但看看Q姐两眼放光，一副你尽管来的样子，又没了底气。

吵完要能走人也好，要是还走不了那不是给自己找别扭嘛。这一个月来，他可是充分领略到人生快递公司的神奇之处，百分百地相信起码在中国，自己没有任何可以逃脱的机会。再说，这个工作也蛮有意思的。刘禹州暗想，要不就先这么干着吧。

人一有退路，信念就很难坚定，心里那一腔怨愤也就淡了许多。刘禹州转而问起自己的收入来："老板，这奖金多少得有个数吧，我咋知道能不能养活我后半辈子。"

Q姐也做出了让步，淡然地往椅子上靠着，安抚道："当然会保证。咱公司绝对不会亏待自己人。至于数量，你就别问了，算起来很复杂。还要帮你们理财啥的，你以为我容易吗我。"

"那……老板，工资是不是能给涨涨？这物价可是天天涨。"

"你一个送快递的还打算要多少钱？五千还少？好好，年底再说，年底再说。"Q姐打发走了刘禹州，揉着额头跟黑桃八念叨，"现在的年轻人，真是掉钱眼里了。"

Q姐唠叨了一阵，见黑桃八还是不走，只好妥协："好好，涨工资涨工资，年底咱一块儿涨好吧，老黑你也跟着捣乱。"

黑桃八从容地站起身，说道："这房价、物价逼迫我们这样啊。"

"您说是不是有些过分？"下午锻炼的时候，刘禹州一边练着杠铃一边跟黑桃八抱怨，"她挣了那么多钱，还舍不得我们这点工资。

我们这点工资才多少钱啊，是不是？老板也不能太黑。"

"公司其实不赚钱。"黑桃八听着他牢骚，好一会儿才突然说了这么一句。

"不赚钱？不可能。就咱俩这一个月，接了十几单业务，那业务额怎么也得上千万吧。是有穷有富，穷人居多，可一半财产啊，怎么折算也不少呢。还不挣钱？"

"收入是没错，可公司花销也大。"黑桃八说道，"其实这些内容你应该在公司的资料里都能看到的。"

"啊？资料？这个……这不是最近忙嘛，我是先看那些有用的。"刘禹州尴尬地笑笑，把杠铃举得哗哗响。

"公司不是以盈利为目的。这个你应该了解。像我们这样的机构，怎么会像普通商业公司那样做事呢？"

"是，这个我懂。其实按照公司这种实力，想称霸世界是不太现实，搞个国内十强公司还是没问题的。只是我不明白既然不想挣钱，那我们干吗还要委托人支付那么多的财产？"

黑桃八沉思了一会儿说："算了，不跟你说这些，说深了你也理解不了。"

"师傅您瞧不起我？"

"没有，这只是道不同不相为谋。不过我相信，你慢慢会改变的。"黑桃八看着他说。

"改变？是啊，我在改变。不过说那么遥远的还不如下个月给我多发点工资实在。哎，师傅您刚才说咱们公司花销也大，那这些钱都干吗了？不会是老板都私吞了吧？"

"你这脑子里都是什么乱七八糟的想法！"黑桃八恼火了，用教鞭在他脑袋上敲了一下，"告诉你，咱们公司所有的收入，除去正常开销，全部都用来支援社会福利事业，养老院、孤儿院啥的，换句话说，都捐出去了。而且，都是以那些委托人的名义。"

"啊？都捐出去？这……这样也太那个啥了吧。"刘禹州本想说

"败家"俩字，但还算警醒，话到嘴边又咽了回去。

"这有什么？取之于民，用之于民，钱不过是些没有意义的数字罢了。"黑桃八冷笑。

支持社会福利事业，那不是你一个公司该干的事吧。有这样拿全部财产去支持慈善的吗？怪不得这个公司越来越萎缩，没法不萎缩。有钱你哪怕扩大再生产也行啊。

黑桃八看着他在那里咬牙切齿的，无奈地笑笑："所以说，道不同不相为谋。小子，以你现在的眼界和智慧，你理解不了是正常的；这个世界背后的东西多着呢，不要总被表面这些现象所迷惑……等你再干几年就知道是怎么回事了。"

第二天一上班，刘禹州就发现气氛有些不对。

"师傅，这位……他怎么上来了？"刘禹州走到黑桃八身后，悄悄地问。在Q姐办公室里，那个胡子拉碴的中年保安正在跟Q姐交谈。

"你不知道？哦，他是公司的保安。"黑桃八头也不回地说。

"我知道他是保安，每天楼底下我都跟他打招呼。我是说，他怎么在这里？他难道也是——"

"我都跟你说了，他是公司的保安。"黑桃八打断了刘禹州的话。

刘禹州心里暗想：我当然知道他是保安啊，可问题是，咱公司需要保安吗？他到底上来干什么？

"那个谁，刘禹州来了吗？"Q姐喊道。

"来了，来了。"刘禹州赶快进屋报到。

Q姐看他一眼，说："你跟着片儿尖走一趟，学习一下。"

啊？片儿尖？怎么这儿的代号都这么古怪？刘禹州冲着那个懒洋洋地坐在椅子上的保安大叔点头致意。这动作每天他都做，只不过一般都是在楼门口。

片儿尖大叔也是很客气地冲他点点头，这还是第一次，以往他可是基本无视的。

"你跟着片儿尖去收笔账，上个月你们那单送遗嘱的业务，委托人有赖账的意图。这种事情，最近几年有上升的趋势。公司必须得拿出点魄力来，不然咱这业绩没法算。我已经授权给片儿尖，可以采取A级措施。你新来的，也正好跟着去学习一下。"

"好的。"刘禹州点头答应。

跟着片儿尖大叔从Q姐办公室出来，刘禹州忍不住问道："那个……前辈，我们要做点什么准备吗？"

片儿尖一脸淡然地说："那倒不用。咱们先去换工作服，我来跟你简单地说说这个任务情况。"

走到更衣室，刘禹州一边换衣服，一边听着片儿尖的介绍。

"其实也没什么。上个月你们不是做了一单业务吗？就是帮着那个中年富翁送一份遗嘱的工作。"

"是，是有这么一单。好像那家伙是送给他的小三还是小四？反正不是他老婆。"

"对，就是这个。这家伙本来要死了，不知怎么又给抢救过来了，看样子还能多活几年，所以就后悔了。本来答应好的业务费用就打算赖账不给了。"

"还有这种事？"刘禹州惊讶了，"连咱们的账他也敢赖？不是说咱们都是灵魂契约，没法赖账的吗？"

"灵魂契约是没错啦。"片儿尖也是有些无奈，"一般而言，我们跟委托人签订委托协议之后，一旦完成业务委托，委托人就会受到契约的暗示。在特定的时间内，按照契约暗示的条件将自己应付财产进行转移。这种暗示是深植于灵魂之中，不可消除，也不可违背的。如果委托人在委托之后死亡，那么这个财产支付将自动进入他的遗嘱强制执行。不过呢，凡事都有例外。有些人执念强大，说白了就是对钱看得太重，以至于一旦涉及财产问题，就会引发主观意识的警醒，这种意识强大到足以抵消灵魂暗示的时候，他就不再承认我们为他所做的业务价值，可以拒绝按照协议的规定支付我们报酬了。唉，这些年这样的人是越来越多了……"

"还有这样的，没王法了，这种人，必须得治！"刘禹州很是气愤。闹了半天，咱业绩下降跟这种人有关系。

"对，你说得对，必须得治。"片儿尖也是狠狠地一挥拳头，"我刚才已经向Q姐申请了，要把本次治理整顿工作的过程做成录像，以后在做业务的时候，直接灌输到委托人的灵魂当中，以示警醒！叫你来，就让你做这个的。"

"录像？这个我不太擅长啊。"刘禹州有些为难。

"不要紧，你只要全程关注着就可以。你帽子上的记录仪会自动记录的。第三者的视角，比较有震撼性。哈哈哈。"片儿尖神秘地笑道，"我当咱公司的保安二十几年，处理过多少次这样的事情，可还没当过电影主角，小子待会儿你要好好录啊。"

等刘禹州换好服装转头再看，片儿尖也早已更衣完毕：黑色的立领中山装，上面的黄铜纽扣闪闪发亮；笔挺的西裤，裤缝犹如刀裁；锃亮的皮鞋，光可鉴人；一副墨镜威严地挂在脸上，让他整个人比中南海保镖还要威风，全然不是刚才一身灰色保安制服时候的模样。

"嘿，前辈，您这是……"

"不要惊讶。这才是我，人生快递唯一保安的专业形象。"片儿尖很酷地说。

他从兜里拿出一部跟黑桃八一样的手机，在上面输入了一串指令。

"哼，这小子居然跑到国外，哈哈，你以为能跑得掉？只要跟公司有契约，一切行踪都尽在掌握。"片儿尖冷笑着说。他又从口袋里掏出一副黑色的皮手套，仔仔细细地戴在手上。然后，他单手一挥，直接就在眼前开了一道空间门，很随意地冲刘禹州一招手，"走吧！咱们给这家伙一个惊喜！"

在万里之遥的南美洲的某座小岛上。片儿尖大叔和刘禹州一前一后，从虚空中走出。

"呼，我好久没这么传送了，头还真有些晕。"片儿尖大叔手扶着一棵椰子树，皱眉道，"那家伙就在前边，那栋海边的别墅里。还真会享受啊。"

被片儿尖称作"家伙"的那位富翁，名叫朱广达。作为一个有理想有抱负的山西煤老板，他这辈子积累的财富，已经达到了几辈子吃喝不愁的地步。本来在国内，他日子过得好好的，却又开始体验一段疯狂的中年热恋——他爱上了一个刚满二十岁的小姑娘，甚至不惜为此与原配老婆撕破脸闹离婚。应该说，像他这种身份，这把年纪，还能如此认真地对待感情，真是煤老板之中的奇葩。

可没想到天有不测风云，偶然一次例行身体检查，查出他罹患癌症，不久于人世了。这可把他给吓得够呛。沮丧之余，他就动了心思，想为自己的小爱人留下点什么。只可惜，他老婆也不是省油的灯，一得知他生病，就立刻接管了他的护理工作，病房里外三层，全是他老婆的娘家人。治病是没问题，各种好药可劲儿地造，毕竟是夫妻一场，还没那么绝情。但想见人，那就免谈，统统以养病为由拒绝。

一想到自己死后，自己的小爱人孤苦伶仃，没人疼没人照顾，穷困潦倒，更可怕的是有很大可能要在别的男人身下婉转承欢，老朱的心里就别提多难受了。终于，一个偶然的机会，他见到人生快递的广告——出现在心脏监控仪的示波器上，就尝试着用意念拨打了一下那个电话，居然真的打通了，并且有两个快递员替他把私下写好的遗嘱送到了小爱人的手里。

这个世界上，还有如此神奇的存在？

当他得知业务委托已经完成的那一刹那，心里无比幸福。可上帝，或者是谁诚心跟他开玩笑。没过几天，检查结果出来，他根本就没病。上次检查是因为数据出现问题。

当他从欣喜若狂的庆祝中清醒过来，第一件事就想起来给小爱人的那份遗嘱。虽然整个过程他已经不记得，但他就是记得有这么一份要分家产的遗嘱。在遗嘱中他可是明确写了，给小爱人三分之一的财产。要是自己死了，那也就算了，可自己还没死，这钱当然得收回啊。而且，他冥冥中总是有个想法，要向某个财务公司划拨一笔财产，理由是委托这个财务公司进行慈善事业。好几次，他都想拨通该公司的电话，但最终他还是硬生生地忍住了。为此，他不得不承受每天如同精神分裂般的痛苦。要是几百万，几千万，他真的想就这么办了，省得自己受苦。可那是一半的财产啊，自己怎么能犯这样的错误！

他每天都在困惑，自己到底是怎么了？他越发地确定，在自己住院的那一段时间，肯定是发生了什么事情。他第一个怀疑的对象，就是他的老婆。肯定是这个黄脸婆在自己身上动了手脚，给自己催眠了。

老朱想想就恨得咬牙切齿。终于，他找到机会带着自己的小三儿远走高飞，顺便卷走了全部的财产。一分钱也不给那个黄脸婆留下，哪怕她跟自己共患难了二十年，哪怕她给自己生了一个儿子。这些都不重要，有钱，要什么没有；至于老婆，身边就有个替补，年轻貌美，善解人意；儿子？有了老婆不愁没有儿子。

老朱费尽心思，办假护照，连转几趟飞机，彻底消除被人追踪的隐患。到了南美洲，他再次换了身份，几经转折，才来到这个岛国定居下来。他相信，就算是国安部派人来，也不见得能把自己找出来。他老婆能量再大，能大得过国安部？

在这个海滨别墅，老朱和他的小老婆尽情地享乐人生。只是偶尔会想念一下家乡的刀削面。

直到这两个神秘人出现在他面前。

"你想起来了？"片儿尖问。

"想起来了。"老朱老老实实地回答，身子忍不住有些颤抖，坐在躺椅上是无比地难受。他看见片儿尖身后的刘禹州，脑子里就像突然来了电，一瞬间就有那么一个记忆片段被恢复——是他们，是人生快递。他们是来要账的。我的天！

"啊，大海，蓝色的大海。真是不错！沙滩，蓝天，美女，不得不说，老朱你真是会享受。"片儿尖背着手站在太阳伞下，墨镜遮住了他半张脸。让他的形象看起来相当酷。

"你以为能逃得掉？你以为可以赖账？赖我们人生快递的账？"

"我……我……"老朱不知道该说什么。那个小女人惊恐地看着眼前的不速之客，紧紧地搂住老朱的胳膊，坐在老朱的身旁。

"不多说了。"片儿尖阴沉着脸做着总结陈词，"朱广达，你涉嫌恶意拖欠我公司的业务款项，已经超出了协议允许的最大时效，按照协议约定，你必须为此付出代价。"

"不，你听我说，听我说。我真的不是故意的。"老朱脑子里冒出一系列协议条款，瞬间让他明白了违约的后果。他大叫："我错了，我知道错了。原谅我这一次吧，我立刻，立刻给钱，立刻！"

刘禹州冷冰冰地站在一旁，撇着嘴扮酷，心里别提多爽了。

"晚了！"片儿尖用冰冷的语气说，"错了？你现在知错有用吗？你是成年人了，应该知道，什么叫作为自己的错误负责。我们是人生快递，快递的是你的人生期盼。你以为人生像游戏，错了可以重来？在人生当中，任何错误都是犯不得的。一旦犯错，你没有机会去改正。而一旦犯错，你就必须承担相应的后果。不可豁免，不可替代。"

"你必须接受惩罚！"刘禹州在一边冷酷地搭腔，尽量让声线低沉，听起来像巫妖王的诅咒——"哭吧，笑吧，然后就去死吧！"

"我……我……"老朱突然把身前的小女人一推，推向片儿尖的同时，自己一个后滚翻，翻落到躺椅后面，身手居然很是敏捷。

他从躺椅后拽出一把手枪，格洛克19，很著名的特工配枪。

"别动，都别动。"老朱用枪口指点着片儿尖和刘禹州，一脸的狰狞："都说了，不要逼我，你们不要逼我！"

刘禹州倒是吓了一跳。没想到这个中年男人还有这样的勇气。对着冰冷的枪口，说不紧张那是瞎话，可要说有多紧张，倒也未必，人生快递啊，那不是一般公司！

刘禹州悄声地问："前辈，这个家伙怎么回事？咱们对他违约的惩罚是什么？"

"没收！"片儿尖抿着嘴唇，冷笑着说，"全部财产！"

那个小女人跌倒在地，无助地哭喊起来。而老朱眼里射出一丝精光，咬着牙四处看看，确定这附近不会有什么人在，心里作了个决心——等这事过后就赶快雇佣一个班的保镖来。

想到此，老朱毫不犹豫地扣动了扳机。他想尽快杀了这两个人，扔到海里去，谁能找到？

"砰砰！"

刘禹州吓傻了，他这辈子第一次面对子弹，连下意识的躲闪都忘了。

但很快，他就看到了无比神奇的一幕：几颗子弹在空中越飞越慢，当飞到片儿尖的身前半米处时，就纷纷掉落。这其中，还有两颗显然是对准刘禹州射出的子弹，但也在空中自动拐弯，被片儿尖吸引过去。

片儿尖冷峻的脸上连一丝变化都没有，就那么迎着子弹走上前去，一步、两步、三步……一直走到老朱的身前，轻轻抬起手，抓住了那把手枪，还有老朱那只颤抖的手，再轻轻一掰，就把手枪从老朱的手里拿了下来。

整个过程，老朱自始至终只有傻傻地看着，一动也不敢再动。刘禹州也长出一口气，心里对人生快递公司有了更进一步的认识。

三天之后，当地警方接到一个华裔女子的报案，声称她的丈夫在海边游泳的时候失踪了。

十天后，老朱的尸体在不远处的一个海滩被人发现，已经被海水泡得变形了。

"人不是我们杀的。"刘禹州跟黑桃八说，"他是自杀！想想老朱清醒过来，发现自己全部财产都被自己捐献出去，自杀估计是他唯一的选择。"

"我知道。"黑桃八点点头，"我们不杀人。我们只是送快递的。

好了，有了这笔进账，这个月的业务额会好得多，Q姐应该高兴一点儿了吧。"

"嗯。"刘禹州也高兴起来，"这个家伙，真是要钱不要命啊。早知道如此，当初按照约定给出一半财产不就完了，非得弄到如此下场。"

"另外，师傅，这位片儿尖是什么来头，他那个……那个功夫真是太酷了。"刘禹州想起了片儿尖迎着子弹闲庭信步地走上前去的情景。

黑桃八认真地说："保安啊，他是咱公司的保安。他掌握着一些只有公司保安才掌握的技术。每个时代，公司都只有这么一位保安，负责处理一些特殊情况，比如说要账，或者是打击对公司不利的外来势力，还有惩治叛徒——你记住，千万不要违反公司的规则，做出什么背叛公司的勾当。否则，这位保安的身手……你也是见过的。"

刘禹州一个激灵，尴尬地笑笑："是是，我一定争当公司的优秀员工，为公司奋斗终生！"

第三章

独当一面

刘禹州掏出了手机，手机振动不停，屏幕上面不断地显示出信息——"侦测到可视范围内，存在与业务无关者，提醒机主进行清场。"

1

这个周末，刘禹州抱着一个大玩具熊，又去看苏苏。

这两个月来，他见过几次苏苏，小姑娘看起来气色好多了，应该在林警官那里生活得不错。见了刘禹州还是无比亲热，几乎是拿刘禹州当作父亲一般来看待。

林警官的家距离刘禹州的住所倒是不远，她和父母住在一起。现在又多了一个苏苏。不过她家是高档的别墅式住宅，楼上楼下的，地方宽敞，毫无问题。

虽然说是来看苏苏，但心里也是想看看林巧儿。从那次不欢而散之后，林巧儿倒是主动给刘禹州打电话道歉，刘禹州也不是小气人，何况是要跟一个美女警官搞好关系呢。两人一见面，又是有说有笑，就好像已经认识多年的老朋友。不得不说，这个世上确实存在缘分。虽然两人到现在加起来不过见了三次面，却已经变得很熟稔，言谈举止，都透着自然的亲近感。这种情绪在他悄悄把小猴子塞到林巧儿手里的时候，瞬间升华，居然让两人都有些猝不及防的紧张。

小林脸上露出一丝难得的羞涩，很是妩媚地冲刘禹州笑了一下，手里紧紧地攥着那个小猴子，风一般地跑回自己的卧室了。

"待会儿一起吃午饭。"空气中只留下这么一句简短的话。

刘禹州被那笑容晃得有些眩晕，直到苏苏过来拉着他的衣角，才醒过神来。

林警官的父母都在国企当领导，表现得很热情，热情到让刘禹州心底发虚。林母谢绝了刘禹州主动要求到厨房打下手的请求，让他陪着苏苏玩；林父很随意地回到自己的书房去，说是还有些事情要处理。这一家子倒是真不拿他当外人。可事实上，他很敏感地察觉出两位长辈在谦和的表面下，潜在的那种距离感。

刘禹州无所事事地坐在沙发上。苏苏高兴地抱着大熊满客厅乱跑，一会儿又想起什么，从自己的小背包里拿出本子来，给刘禹州展示自己的最新作品。

刘禹州拿着画本，越看心里越惊骇。

其中一张画，画着刘禹州（还是四方形）跟在一个黑乎乎的人影后面，地上歪歪扭扭地画着几条扭曲的线，越看越像那次送手机的场面。

"这是什么呀苏苏？"刘禹州强忍着心中的不安，笑眯眯地问。

苏苏咿咿呀呀地比画，对刘禹州指点着，还做个睡觉的姿势。

什么意思？刘禹州有点蒙。

林巧儿从自己卧室里走出来，把苏苏抱在怀里，给刘禹州解惑："苏苏的意思，她画的是梦中的你。"说着，她用一种奇怪的眼神看了刘禹州一眼，让刘禹州心惊肉跳。

刘禹州都不知道是怎么吃完这顿午饭的。席间林家父母热情地给他斟酒布菜，让他受宠若惊，加上心中慌乱，更是备受煎熬。

等他告辞出门，林巧儿下楼送他，说起来关于苏苏的安置问题。

"我倒是想收养，可法律有规定，必须要得到苏苏监护人的同意才行。可苏苏这样的，根本就没有啥监护人。而且，我父母……他们也主要是为我考虑，毕竟我单身，以后还要生活，也可以理解……我跟单位领导商量了，先以我们单位的名义，把苏苏安排到一个孤儿院，先生活一年，把户口落实了，看能不能找个好人家来收养她。这孩子也真是可怜。有残疾的孩子不好办啊……在这期间，我们还得全力去寻找她家人，只是要苏苏受点委屈了。"

"如果你有时间，以后要多照看着点苏苏。"林巧儿拜托道。

刘禹州点头答应。小林能做到这样，已经是仁至义尽了。人家父母的考虑也是对的。

第二天一上班，刘禹州就找到Q姐，把苏苏这个神奇的画画能力解说了一遍。

"这样啊，那倒是很奇特的事情了。"Q姐兴致勃勃地托着下巴，看着刘禹州说，"我想，可能是这个小丫头跟你之间有了某种灵魂上的联系。可以感应到你的某些生活片段，尤其是你在运用穿梭空间之后。很好，这个小丫头有培养价值，比你有价值。"

"我说老板你不要说得这么直白好不好，多少照顾下我的感受。"刘禹州翻着白眼说，"我这心里很不安呢。"

"没事。"Q姐手一挥，下了结论，"找个时间，我去看看这个小丫头。"

接下来的一个月，刘禹州又跟着师傅接了几单业务，熟悉了一下各种业务流程和作业工具。后面的几单业务基本上都是他来主导，黑桃八也认可他的表现，觉得再有这么一个月的实习，他就可以完全转正，独当一面了。

闲暇时间，刘禹州继续保持着和林巧儿的联系，不过他再也没去她家了，只是隔三差五打打电话，偶尔在网上碰到聊几句。

一个周末，小林专门带着苏苏来找刘禹州，三个人一起去逛街，还去游乐场玩了一会儿。苏苏乐得不行，抱着刘禹州的脖子不让他走。

眼看着，秋色渐浓。

这一天的中午，林巧儿开车，带着刘禹州行驶在从郊区返回市内的高速路上。

两个人都不说话，只有电台里播放的音乐，回荡在车内。

他们刚从一家孤儿院回来。林巧儿终于联系好孤儿院，这次是和刘禹州一起来送苏苏的。想起苏苏临别时，那种强忍着泪水，一副"不用担心，我会没事的"的表情，刘禹州心里就非常地难受。但他又找不出理由来埋怨谁——自己没有这个能力，林巧儿也尽力了，她的同事们也很尽职地在帮苏苏找家人，只不过没有任何线索。要怪，也只能怪那些把苏苏拐卖到此的人贩子。

"这就是命。"刘禹州叹了口气，打破了沉默，"我请你吃饭吧，小林警官。"这么长时间的接触，都是林巧儿主动请他吃饭，作为一个大老爷们，不表示表示那真是太不应该了。

"好啊。你说吃啥？"小林警官笑逐颜开，眉目如画。那一瞬间的风情，让刘禹州眼花缭乱。

以刘禹州兜里的银子，自然是不指望去什么高级场所，但怎么也不能太简陋了，多少也得撑撑面子啊。罢了，今天出一次血，下半个月就吃方便面吧！

他知道林巧儿爱吃辣，就在他住的地方附近找了一家看起来不错的川菜馆。

刘禹州很豪气地点了几道招牌菜，饭菜一上来，两个人感觉都饿了，也就毫不客气地大吃起来，间或聊点闲篇。二人的兴趣爱好都很广泛，从世界经济到最新的电影，从美食美景到细碎家常都能找到共通点。

"小刘你到底是在做什么工作啊？"聊着聊着，林巧儿看似不经意地问，让刘禹州犹如被猫盯住的老鼠，汗毛瞬间立了起来。

"那个……在一家快递公司上班。"刘禹州小心翼翼地回答。这好像是她第二次问这个问题，不会是有什么怀疑吧。

"怎么了？"刘禹州用勺子搅和粥碗，低着头轻声问。

"呵呵，你别介意，我只是好奇。因为我跟苏苏聊天，她总是表示你上班是飞来飞去的。"林巧儿笑着解释，"苏苏可聪明了，好多话她能用肢体语言表达。"

"呵呵……这个孩子，就是送个快递的而已。"刘禹州只好呵呵傻笑。

"坏了，她在怀疑我。她肯定是从苏苏的那些画里面发现了些什么。

我该怎么办？"刘禹州的脑袋急速运转，几乎都能听见脑细胞破裂的响声，同时心里想着一定要告诫苏苏，不能把自己的事情随便说出去。

谨言慎行，以不变应万变。刘禹州想不出别的办法结束这个话题，但他也清楚，自己绝对不能把公司的情况告诉林巧儿。

"那你们公司叫什么？有机会我可以给你揽点业务，现在快递公司竞争也很激烈吧。"

"那倒……也是。"刘禹州本来想说那倒未必，话到嘴边赶紧改口，"小公司，没啥名气。多谢多谢，有需要的话我肯定要麻烦你。"

"那能说说你在这个公司都干点啥业务吗？"林巧儿越发地好奇了。她看得出来，刘禹州有事瞒着自己。自打她记事以来，男生面对着自己，绝少有这种企图蒙混过关的时刻；而自打她当了警察以后，这种事倒是多了，不过，那些家伙下场都不怎么好。

以往听起来如同天籁的声音，现如今仿佛一声声响锣在刘禹州耳边炸响。刘禹州暗暗叫苦。

"还能有啥，嘿嘿，跑腿送快递呗。很累的。"

不知道这些年来，公司是怎么处理这种事情的。在人间行走，哪有万般周全的，总会露出破绽，被人发现。自己不可能这么倒霉，成为第一个被识破的业务员吧？

"呵呵……"林巧儿笑了，"我看你有点儿紧张啊……我没别的意思，就是随便问问。送快递，听起来很有意思，可以东跑西颠的，多自由。哎，我看了苏苏的画，还真有点好奇。在苏苏的那些画里面，你看起来很威风啊，上天入地的。"

"哈哈，小林警官你爱说笑，小孩子的画，那不是幻想嘛。我都奇怪呢，这孩子想象力真丰富，而且很有画画天赋。我正想找你商量，怎么能让苏苏在这方面有所发展。"

"是幻想？"林巧儿并没有接他的话茬，闪亮的眼睛一眨一眨地盯着刘禹州。

"当然。"刘禹州一本正经，面不改色回望着她，"我一个送快递的，哪有那个本事，是不是？就是混口饭吃而已，哈哈哈。"

小林警官忽然收敛了笑容，带着些许好奇又有几分坚持，用很严肃的语气说："刘禹州，你可不要骗我！"

刘禹州心里暗暗叫苦，第一次后悔跟林巧儿一起吃饭。

"坏事了，坏事了，一定是自己哪个地方说漏，更加深了她的怀疑。说来也是啊，这个姐姐好歹是警官，询问技巧怎么着也是经过培训的。我到底哪里说错了？难不成这就是做贼心虚？我呸，我又不是贼。我怕什么。"刘禹州的心里七上八下地打着鼓，感觉自己的精神防线正在被瓦解，突然一狠心，很不爽地看着林巧儿说："怎么？我工作、生活都要向你汇报吗，小林警官？"

"我……我不是那个意思。"林巧儿赶忙摆手，她没想到刘禹州真的会翻脸。一直以来，她都是顺风顺水，都是别人围着她转，自己想要的东西从来都没落空过，很少有人敢给她脸色看，这一次她却被刘禹州吓住了，不知道该怎么办才好。

她也只不过是对苏苏的那些画好奇而已。今天纯属警察的职业病发作，随口套问几句，却没料到刘禹州会如此激动，但这也恰巧说明了其中大有蹊跷。这一判断让她既紧张又兴奋，紧张的是不知道此刻该如何缓和气氛；兴奋的是她想立马深入调查，探究其中隐藏的秘密。也正是从这一刻起，她感觉到了对面的这个大男孩看似大大咧咧的背后，有着那么一份说不清道不明的骄傲。

此时的刘禹州也感觉到了尴尬，周边的空气似乎都凝固了一般。他松了口气，迅速转移话题："小林，我可以叫你小林吗？老是警官警官的也不好。哈哈……可以哈，那太好了。那个你在派出所负责什么？我上次听你父母介绍你都是科级干部了，重点培养对象啊，真是了不起。"

"这没什么，"林巧儿松了口气，顺坡下台，笑着回答道，"我现在在户籍科，不过我打算换换……坐办公室没意思。什么培养对象，还不是因为我二叔是市局的政委，哈哈，我也算是官二代呢。就这么点优势，不过我这个职称可是自己实打实立功得来的，你信不信？"

林巧儿举着勺子，眯着眼睛望着刘禹州，那意思是你敢说个不信试试。

"立功？你立过功啊？真没想……那是必须的，哈哈，我就知道小林你绝对是有真才实学的。"刘禹州随意的敷衍谁都能看得出来。一瞬间，他感到有些没来由的失落。自己大学毕业混了一年多，还在温饱线上挣扎着，而人家都是梯队干部了。

"上次去郊区抗洪抢险，我可是救出好几个群众呢。你别瞧不起人。"小林嘟着嘴，一只马尾辫在脑后甩啊甩，那样子跟英姿飒爽的女警官天差地别，就是一个正在撒娇的妙龄少女。

刘禹州心头跳了一跳，有那么一丝柔软的地方被触动。一个小魔鬼手舞足蹈地飞在他脑袋边上，拍着他的脸说："你的春天来啦！"

美女当前，该追不追也不对啊。何况几次接触下来，刘禹州隐隐地有那么点感觉，林巧儿对自己还是比较不错的，起码不反感。先别说这个感觉是不是正确，就冲这几次三番的都是人家主动来找自己，还邀请自己到家里做客，这就足够让刘禹州浮想联翩的了。

再想想昨天晚上母亲打来的那通电话，电话里很隐晦地提到了他的婚姻大事，他当时只好拿别的话题遮掩了过去，现在不正是好机会吗？

"抓小偷！有小偷！"突然，身后的大堂里传来一阵骚乱，有人高声呐喊。

刘禹州一愣神，刚反应过来，只见林巧儿已经挺身站起，回身就冲向事发地点，她一边跑，一边高喊："让开，警察！"

"啊，你……"刘禹州赶紧站起身，想伸手拉住她，却已经晚了。这个时候刘禹州才反应过来，林巧儿是个警察。

说时迟那时快，林巧儿刚跑出几步远，一个身影就已经急匆匆地迎着她冲了过来。那是一个二十几岁的男子，瘦高的身材，一脸的凶相，手里拎着一只女式小包。

一男一女在他身后追着，同时焦急地喊："抓住他，他偷我们包了！"

"嘿！你给我站住！"伴随着一声呐喊，林巧儿完成了侧身、抬腿，紧接着一记低鞭腿迎着那个小偷抽了过去，正勾在小偷的小腿上，顿时将他绊了个跟头。餐厅的服务员和一些周围的食客都围拢上来，准备痛打落水狗了。

"你们找死！"那小偷显然急眼了，在地上滚爬几步，再度爬起来，手中已经多了了一把匕首，"谁敢过来老子就杀了谁！"闪动着寒光的匕首又令众人心惊，慢慢向后退去。

刚才那一跤摔得不轻，小偷虽然一瘸一拐的，但在匕首的威慑下，大家谁也不敢再靠近，只能眼睁睁地看着他一步步地往门口挪动。

这个时候，林巧儿再度挺身而出。她趁小偷不注意，一个箭步冲上去，双手齐出，死死地攥住了小偷持刀的右手，接着就是一个标准的翻腕擒拿：手中一带，脚下使绊，干脆利落地把小偷摔翻在地。

"好样的！"群众齐声欢呼，迅速地围了上去，七手八脚地将小偷制服，期间下黑手黑脚的不在少数。等把小偷捆好，那家伙已经看不出人样了。

林巧儿这才松了口气，一边站在那里吩咐餐厅经理报警，一边疏导着周围情绪激动的群众，还要第一时间留下那两位事主询问情况，并且保护那小偷的安全，防止气愤的群众下黑手。以上工作都被林巧儿处理得井井有条，待一切收拾停当，她才注意到自己的衣袖上被匕首划开了一道口子。那一刻，她飒爽的英姿深深地印刻在了刘禹州的心底。

这一天上班，刚到办公室，刘禹州就觉得有些不对。他四下看看，才反应过来是哪里不对——一直坐在他隔壁的那个老者居然消失了。确切地说，是那个意念形象消散了。

"这是怎么回事？"刘禹州有些惊讶。

黑桃八正好走了过来，他对刘禹州说："走吧，跟我出去一趟。"

"啊，有业务？师傅这个……"刘禹州指指那个空荡荡的办公隔断，疑惑地问，"这是怎么回事？"

"我要带你去办的事就与他有关。"黑桃八指着空荡荡的椅子说。

　　黑桃八领着他开启空间门，转眼间来到了一个小山村。这一段时间刘禹州也学习了不少地理知识，一眼就看出这个小山村是位于西南山区，看村民们的穿着打扮，还是一个少数民族聚集地。

　　黑桃八找了一个当地村民，问清楚道路，领着刘禹州来到一座位于山坡上的小学校门外。

　　这个学校看上去是建起来不久的，一溜儿砖瓦房，五间教室。外边还有水泥操场，竖着两个半新不旧的篮球架。操场和校舍都被一道红砖矮墙围起来。在矮墙正中对着的小路上竖着一道大木门。门边上挂着一块牌匾，写着××村小学。

　　此时，操场上有不少小孩子正在几个老师的带领下做花圈。一些家长也陆陆续续地向学校这边走来。刘禹州顺势拦住一个村民，打听到底发生了什么事。

　　那个村民摇头叹息，用一口黔南方言跟他说了缘由。

　　原来，昨天晚上村办小学的老校长突发急病去世了。老校长七十多岁，无儿无女，从十年前来到这个穷山沟起，就一直在这个小山村里坚持办学，颇受四乡八里山民们的尊重，村民们都自发地赶来帮忙，送老人最后一程。

　　由于他独住在校舍后面的一间小屋，没有亲人在身边，所以直到上午一个老师找他办事时，才发现已经去世了。

　　刘禹州看看黑桃八，有些明白过来。

　　黑桃八叹息一声，抚摸着那块校门上的牌子，说："你明白了？这个老校长，也是我们的前辈之一。十年前退休后，就自愿来到这里，帮助贫困山区的孩子们上学。这个学校，是他一手建起来的。其中一部分钱就是我们公司提供的。今天，他走了，他留在公司的那个意念影像也就消散了。小刘啊，我们来祭拜一下这位前辈吧。"

　　灵堂还没有搭好，老人居住的小屋里乱糟糟的。从屋里的陈设可以看出，老人生前的生活很简朴。

　　尸体已经被装殓入棺，就停放在院子中央。这口棺材是当地一位老者无偿提供的，说要让老校长走得体面一些。棺前搭着一张长条凳，上面就摆放着一只破旧的香炉，燃着几炷香火。

黑桃八走上前，跟守灵的一位大妈简单说了几句，就领着刘禹州一起向老人的灵柩叩拜，随后，从兜里掏出一张纸来。

刘禹州看得明白，这张纸正是自己也签过的那份劳动合同。

黑桃八微闭双眼，嘴里念念有词，之后随手一晃，那张合同便转眼间就化为一缕青烟，消散在天地间。

随后，黑桃八掏出一双陈旧的手套，放在老人的手边，深沉地看了一眼，带着刘禹州离开了学校。

他也不急着赶路，就在山间的小路上溜达着，似乎满腹的心事。

刘禹州忍不住了，开口问道："师傅，这位……这位……"搞到现在他还不知道去世的老校长怎么称呼，只好笼统地说下去，"您跟他很熟吗？"

"以前他是我的师傅。我刚进公司是他带我。带了我三个月实习。"黑桃八伤感地说，"那个时候，公司的人比现在多多了，业务也很忙，大家都各干各的，平常交流不多。偶尔在公司里碰上，说上几句。呵呵……到他退休的时候，我还说要给他办一场酒席，好好祝贺一下。没想到当时有个急件要送，等我回来，他已经回家了……就这么错过了。"

刘禹州问："那这位前辈干吗要来这里？不是可以回家养老了吗？"

"这里就是他的家啊，他就是这里人。"黑桃八解释道，"他从小就在这里生活，直到加入公司。"

"啊？那师傅您是哪里人？"

"我的家，在东北松花江上。"

"Q姐呢？"

"她是上海人。"

"那你们现在也都是离乡背井啊……"

"算是吧。据说以前公司实力强大的时候，可以允许员工在原址居住，随时开辟空间门来上班；现在不行了，公司资源有限，支撑不了那么大消耗，只好让我们这些员工都到公司所在地来集中。招聘员工，也只能以当地为主了。你小子走运。"

"可是师傅，我没觉得这是什么好事。"刘禹州没好气地说，"师傅，我能说句实话吗？"

"你说。"黑桃八站在山坡上，眺望着远方。

"其实吧，我觉得咱们公司这些业务都挺伟大的。真的，是挺伟大的，如果我要是个外人，我肯定是要顶礼膜拜的。只不过……我是说，既然我已经上了这个船，就是自己人了，你看是否……这个……"

"你有话直说好了，我不怪你。"

刘禹州咬咬牙，说出了心里话："我是觉得，我们这样给别人传递希望，给别人带去爱，给别人命运的关照，都是为别人活着，这样有意义吗？我是指我们自己这一辈子。"

黑桃八回头看着他，奇怪地说："怎么能说是为别人活着呢？其实，我们所做的这一切，说到底还是为了我们自己。"

"为了自己？这个话怎么说？"刘禹州有点迷糊了。

"听着，小子，你要知道，我们所做的一切，不是为了别人去做，都是在为我们这一生的幸福而忙碌。你只有体会到这一点，才能成为一名合格的人生快递员。希望你能早点认识清楚，不然……"黑桃八意味深长地看了一眼刘禹州，还是没有说出来。

"为我们一生的幸福？但愿吧……"刘禹州皱皱眉，他觉得自己在这个问题上和黑桃八探讨根本就是个错误，于是赶紧转变了话题，"这位前辈他没有子女吗？孤苦伶仃，怪可怜的。"

"有个女儿，在深圳搞了一家企业，也算是个老板。人家也是自家创业，是一手一脚打拼出来的。"

"那……"刘禹州想说什么，话到嘴边，又咽了下去。

"你别想歪了，他女儿很孝顺的，一直要送他去国外养老，只是他不愿意去而已。他就是要把余生奉献给这片大山，奉献给这些孩子们……怎么样，伟大吧？"

"伟大！"刘禹州唏嘘不已，对这样的人，对这样高尚的情怀，他是不敢不敬的，"只是我做不到。"

"我退休了，也要照这样活着。师傅曾经说过，人有用，钱没用。我到现在才逐渐理解这话的意思。"黑桃八站在山岗上，眺望着远处的那所小学，那里已经被一片白花铺满，似乎有阵阵恸哭声传来。

人有用，钱没用？听上去似乎朴实又富含哲理，不过刘禹州不打算认真思考。

"师傅您才多大就要退休。"刘禹州看黑桃八情绪不高，想赶快说点儿宽心的话。

"哼哼，小子，我已经满六十了，你看不出来？招你进来就是为接替我的。还有九个月，我就正式退休啦。"

"六十？真看不出来，师傅您这身体没问题，再干十年也行啊。"刘禹州想起了那个夜晚，黑桃八一个打四个的骁勇。

"不行了，老了，跟你这年轻人没法比。体力精力都下降得厉害，我现在定点传送的误差已经很大了，再坚持下去总会耽误工作……再说，我也干满三十年了，按照公司规定，干满三十年就必须退休养老。小子你就赶紧成长吧，以后要靠你了。我已经开始计划安排余生了。"

"别呀师傅，你要退休，这边就我一个人，我这咋办呢？"通过这三个月的相处，刘禹州和黑桃八已经有些感情了，再想起以后要一个人接受Q姐的各种命令，刘禹州就一阵阵的胆寒，觉得前途一片黑暗。

"哦，对了，你Q姐也要退休了，她也干满三十年了。"

"啊？那不是就剩下我一个人了？这个公司倒闭算了。"

2

这一天，凉风习习，阳光明媚，是个郊游的好天气。但刘禹州却顾不上这些，此刻他趴在地上，小心地抬头往四周看，耳边不时响起刺耳的枪声。

他和黑桃八身处西亚某小国的城镇里，这里正在进行一场激烈的枪战。

他们藏身之处，是一栋破败不堪的居民楼。四层的小楼上半截已经被炸塌，到处是瓦砾，门窗早已不见踪影，外边的街道上横七竖八地躺着几具尸体。不知从哪里飘来的浓烟，带着一股子血腥味弥漫在街区上空。

政府军和反对派武装在这一带激烈交火，刘禹州和黑桃八正处于火线的中间地带。

突突突突！一梭子弹打到墙壁上火星四溅，泥沙迸飞，落了刘禹州满脸，吓得他赶紧把头低下，深深地埋在双臂之间。一种生死之间的恐惧感涌上心头。

"师傅！师傅！"刘禹州浑身哆嗦着，把头稍微侧过来，对黑桃八叫嚷，"师傅，咱们这是到了哪里？这是什么工作，我不干了，我不干了。我要回去，你快带我回去！"

虽然刘禹州也干过些好勇斗狠的勾当，但那些不过是年轻人的打闹，算不得什么。这次突然间置身战场，闻着那股混合着血腥的硝烟味，望眼四周子弹横飞、尸横遍地，耳朵被剧烈的枪炮声震得嗡嗡作响，他能不尿裤子，已经算是胆子大了。

黑桃八在他脑袋上拍了一巴掌，没好气地说："镇静，注意你的言行，你是我们人生快递的业务员，这点场面算什么。放心，有了咱们这身避弹衣，子弹会躲着你走，没有生命危险的。"

刘禹州低头想了想，对公司那些神奇的装备有了几分信心，长出一口气，翻身坐起来，但手脚还是有些发软。

"师傅啊，这次这个业务咋这么恐怖？咱们要找的委托人是干吗的？不会是什么恐怖分子吧？"

"我们公司只为华人提供服务。"黑桃八半蹲着身，探头向窗外窥探。

刘禹州不再说话，尽量平复惊恐不安的内心。

"轰！"一阵巨大的爆炸声传过来，刘禹州反射性地又抱着头往地上一趴，这个姿势是典型的战术防炮动作。

"嗯，你这些天倒是有进步，学了不少东西，尤其是如何防御。"黑桃八欣慰地看他一眼，继续观察着周遭情况，浑然不拿这炮击当回事，"炸点还远着呢，至少两百米之外。我看看目标……唉，看来我这定位准确度确实成问题。好了，我们的目标确定，在那里，那个被包围的酒店顶层。"

虽然酒店上空浓烟滚滚，但是因为离得不远，倒是很好辨认。

"我们怎么过去？"刘禹州心惊胆战地问。从藏身之处到那个酒店要穿过两条马路，至少三百米远。而马路两边至少有十几个火力点，隐约可见不少武装人员在肆虐地叫喊着，挥动着手中的武器。

"还能怎么过去，就这么跑过去。跟着我，注意隐蔽！"

"啊？师傅你等一下……"

黑桃八忽视了刘禹州的请求，当先蹿了出去，刘禹州只好硬着头皮跟了出去。

兔滚、蛇窜、狼奔、鹰翻，扭腰、摆胯、俯身、前跳……

刘禹州跟在黑桃八身后亦步亦趋，几乎是同步地做着这些动作。子弹横飞，在他身边嗖嗖作响。刘禹州已经陷入一种古怪的空灵状态，对外界的变化充耳不闻，视而不见，完全是迎着子弹冲锋。说来也奇怪，那些子弹就偏偏绕着他们走，最近的距离刘禹州只有几厘米，但就是没有打中他。

黑桃八一边前进，一边说："我们的衣服周围有自动防护空间，可以有效规避一般性的侵害，当然我们也需要主动避让，这就要靠你自身的反应了，万一打中了也是——"

"哎呀……"没等黑桃八说完，刘禹州就被击中，他疼得大叫一声，蜷起一条腿，单腿乱蹦着躲开另外两颗子弹。

"老子干掉你！"刘禹州眼珠子有点充血，转动脑袋，四处寻找那个打中他的枪手。

"不要耽误时间,我们快去接业务。小心!"黑桃八一声断喝,紧接着做了一个前滚翻,刘禹州毫不犹豫地照做。

"做点业务真不容易。师傅,难道咱们就光挨打不还手?也没有个武器啥的,我以前学过射击,但还没实践过。"

"少废话。我们是快递公司,怎么会有武器,那不符合规定,赶紧走。"

齐江红是联合国派驻当地军事观察团的一名成员,中国女军人,上尉军衔,现年三十七岁,任务是为观察团的中方总代表担任翻译。

这种工作她从事过多次,齐江红在西亚这一带的几个国家都工作过,很受上级领导的信任,荣立过二等功,还获得过联合国总部的专门表彰。这次任务结束后,她就要调回国内,和自己的家人团聚,从此远离这片动荡的土地。

每当她站在窗前,望着窗外这座城市,望着那四处腾起的烟火、东倒西歪的建筑物、空无一人的街道,和随处可见的血迹甚至是尸体时,她除了感到一阵悲悯的痛楚外,还忍不住为自己的职业感到自豪:她清楚自己之所以置身于险境,是在拯救水深火热中的人们;为自己的国家感到骄傲,因为那里是宁静祥和的,人民不用遭受战争的动乱之苦。

"现在,我那四岁的小女儿莹莹应该要上床睡觉了吧,也不知道她会不会想妈妈。"齐江红靠墙坐着,苍白的脸上露出一丝微笑。

在她肋下,一片殷红的血迹已经渗透了蓝色的军服。不久前,不明身份的武装人员袭击这栋酒店,造成整个观察团小组伤亡巨大,除她之外,基本上没有活着的人了。刚才,一块弹片击中了她,她现在感觉到,自己正在迅速地走向死亡。

"真不甘心啊,就死在这里……"齐江红微微地睁开双眼,目光转向一边的地板上,一个小巧的纸盒放在那里,上边也沾染了些许血迹。

忽然,她感觉到两个人影出现在她的房间里。她睁大了眼睛,努力地看去，是两个身着奇怪服装的男子。她忍不住地笑了："真的有用！没想到那个神奇的号码，那个神奇的公司真的会派人来！"

"人生快递，有什么为你效劳的？"一个年轻人哆哆嗦嗦地说。

刘禹州刚才是真被吓坏了。一进走廊，一个枪手就端着冲锋枪直冲着他扑过去。要不是黑桃八反应快，一个飞脚上去，说不定自己就会被爆头。因此他进门后依旧惊魂未定，连说话的声音都在颤抖。

"请把这个送到我女儿手上……这是妈妈买给她的生日礼物，希望她喜欢……"

黑桃八走上前，把那个小纸盒拿起，收在一个大信封里。

刘禹州突然走上前，蹲下身问道："我还能帮你做点什么？"

黑桃八皱了皱眉，忍住没有说话。

齐江红淡淡地一笑，缓缓闭上眼睛说："谢谢你们，没有了。"顿了顿，她又挣扎着睁开眼，艰难地说了一句，"告诉莹莹，妈妈爱她，希望她好好活着……"说完，她就停止了呼吸。

刘禹州看着女军人那张平静的脸，看着她身下一摊鲜红的血，一股怒火冲上了胸膛。这种生死战场他只在游戏中感受过。在游戏中，他从来没有对身边倒下的战友产生过什么情绪——那些都是数据而已。而现在眼前发生的，是真实的存在，一个和自己一样肤色、一样国籍、一样民族的女人，就这样死在了异国他乡。她是被那些所谓的反政府武装杀死的。这些杀手夺走了一条鲜活的生命，一个中国女军人的生命。刘禹州狰狞地咬着牙，看着黑桃八："师傅，咱们就不能有点行动？她就这么白死了？那些混蛋，必须付出代价。我相信咱们有能力为她报仇雪恨！"

有了装备，经过了训练，尤其是出过多次任务之后，刘禹州对公司的信心大增，对自己的能力也有了一定的信心，况且现在还有在他眼里无所不能的黑桃八。

黑桃八一动不动地站在那里，他不急于离开，但对眼前的一切无动于衷。面对义愤填膺的刘禹州，他明白这个气血方刚的小伙子在想什么，但他也清楚自己应该做些什么。他盯着血泊里的女人，缓缓说道："走吧，这与业务无关。"

"与业务无关？狗屁！"刘禹州突然爆发，跳起来指着黑桃八说，"什么狗屁规定，为什么有这种有仇不报的事情？这是咱国家的军人，死在你面前。你还是不是中国人？什么因果，什么善恶，都是你们自欺欺人，你们就是不想惹麻烦，就是一门心思地装公平，扮公正，伪上帝！你们就是缩头乌龟！有这么大的能量却尽干些琐碎的破事儿，送什么快递，我呸！

"咱们完全可以干掉这些恶棍，凭什么咱们只能被动反击，不能主动出击？这些混账在咱们眼里算不上什么，咱们很轻松地就能干掉他们。如果咱们无动于衷，就算是表现了对职业的忠诚，但却输在了人性和良知上！如果你掉头走，我会恨你的，会恨整个人生快递公司的！"

这一顿臭骂足足持续了三分钟。

黑桃八平静地站在那儿，等他发泄完了才说："我跟你说过了，我们只是送快递的，与业务无关的事情，都不必做。在掌握超越世间的力量的同时，必须也要有超越世间的心理准备，不能单凭自己的好恶来做事情。这样很容易产生自己可以改变别人命运的虚幻感觉。

"你现在这个样子，已经有这样的倾向了。你现在想着，你有这个力量，可以轻易地决定别人的命运，以后呢，你会进一步要求改变自己的命运，从而被自己的欲望所牵引，滑向深渊，这是很危险的。为什么公司规定禁止在业务期间去干那些与业务无关的事情，也是为了尽量避免这样的堕落发生。我警告你，一定要记住我所说的这些话。这是你的第四课。"

刘禹州喘了口气，算是把一腔邪火发出去了，但听完黑桃八的话后，他也有些惭愧。自己这是怎么了？是被刚才的血腥刺激到了？看来自己远没有想象中的坚强，怎么能把火发到师傅身上。他歉意地看看黑桃八，黑桃八并没有生气，他将目光从女军人的尸体上转移开，对刘禹州说："这次你来开门，抓紧时间吧，我们赶时间。"

刘禹州听到这句话，惊讶地反问道："我开门？师傅你说让我开门？"

"对。我的手套还在冷却中。这次你开门。你手套上的传送资格已经被公司确认。"

"可……可我还没作好准备……我还不会……"刘禹州有些犹豫了，虽然他盼望这个时刻已经很久了，但突然让他开始，他又感觉心里很是没底气。

"一直都是你在后边看着，看也看会了吧。别磨蹭，快点，我们可是快递公司，与时间赛跑。"

"好……好吧。"

刘禹州平静一下心情，回头看看那位女军官安详的面容，咬咬牙，暗自说道：安息吧，我一定把你的嘱托带到。我会告诉你的女儿，让她好好活着。

他把黑桃八的手机接过来，将其中的信息转移到自己的手机内，然后按照操作步骤，双手一拍，将手机按在墙上。

墙上顿时出现了一道门，刘禹州推开门，率先而进。四周一片黑暗，是那种深湛如太空般的黑暗，没有丝毫光亮。迅速的，眼前炸开了一团团的蓝光，如同纷繁的流星一般，在他四周飞窜。转眼间，就在他的脚下构建起一幅由蓝色光线组成的三维地图，显现出地球的表面形状。视线迅速拉高，似乎人已经站立在万丈高空，俯瞰着地球表面。

地球在他脚下如轮飞转，跨越过千山万水，当再次停止后，显现在他脚下的就是一座城市的模型。随后，地图中的景物同步放大，越来越清晰，一栋栋楼宇、一条条街道、一座座住宅，不断地消逝在他的身后。一个小红点出现在他的视线里，同样是迅速地拉近与他的距离。无数字符在刘禹州的眼中闪动，很快，那个小红点所在的位置就已经拉近到了他眼前，四周的蓝色线条也组成了一个房间的形状——一道门出现在刘禹州的眼前。

刘禹州伸手握住门把手，轻轻一转，推开了门。

在他准备迈步的一瞬间，刘禹州突然冒出一个很奇特的想法：我这样闯进去，不会吓到小朋友吧？

门后是一个小房间，充满了儿童趣味。到处摆放着卡通玩具。一张小床正对着门口，小床上一个大眼睛的小姑娘正抱着毛巾被坐在床头，直视着刘禹州。

小姑娘穿着一身粉色的小碎花睡衣，短发齐眉，黑白分明的眼睛里充满好奇，倒是没有刘禹州担心的恐惧与尖叫。

刘禹州走上前两步，一时间不知道该怎么开口。

倒是那个小姑娘先说话了："哎呀，叔叔你是怎么进来的？那里有个门啊？"

"哦？你……看得到我？"刘禹州惊讶了，这还是头一次有人看到他跨门而出的动作。他回头看看黑桃八，"师傅，不是说咱们开门之后会有三秒钟的屏蔽吗？怎么她能看见我们？"

"小孩子对这种异常状态比较敏感。"黑桃八淡定地说。

刘禹州转回头，努力地寻找到一个自认为最亲和的笑容堆在脸上，清清嗓子，正准备说话，那个小姑娘一下子从床上蹦起来，站在那里高兴地说："啊！我知道，我知道，你是圣诞老人……"

"叔叔不是圣诞老人，叔叔是送快递的。"刘禹州奇怪地想，现在十月份啊，什么圣诞老人。

"送快递？哦，你是送快递的叔叔。"小姑娘乐了，指着刘禹州说，"你是送快递的叔叔。"

"对，对，小姑娘真聪明。"

"叔叔，什么是送快递啊？"小姑娘仿佛才想起来，真诚地问。

"那个……"刘禹州被噎得不轻，咬了咬嘴唇，觉得还是简单的回答比较省事，"就是……就是送东西给你的叔叔。你看，叔叔给你送东西来了。"说着，他把大信封拿出来冲小姑娘晃晃。

"送东西？"小姑娘满脸的疑惑，"给我？我妈妈说不能要别人的东西，我不要……"

说到这儿小姑娘好像才想起来什么，有点害怕了，往墙角里缩回去："我……不要，我要找我爸爸！"说着话她就要张嘴叫喊。

刘禹州赶忙冲她做个安静的手势："不要吵啊，我们是替你妈妈送来的，瞧瞧，这是你妈妈送给你的东西，只能给你看。"

黑桃八在一旁冲他递个眼色，那意思是没问题，隔音结界已经设好，不用担心。

刘禹州心中惭愧，自己还是对业务不熟练啊，这个结界应当是第一时间就安排的，还得靠师傅来补漏。

小姑娘听到"妈妈"两个字，眼睛里就射出光来，一下又蹦到床边，高兴地叫："我妈妈？妈妈给我的？太好了，我喜欢我喜欢，快点给我嘛！"

看着这个兴高采烈的小姑娘，刘禹州的眼前浮现出一张惨白安详的脸，心中暗自慨叹一声，把信封递到小姑娘手中："这是给你的，请你签收……"对了，还有签收过程，这个咋整？刘禹州顿时没了主意，只好向黑桃八求助。

黑桃八咳嗽一声，走上前，轻声说道："你是莹莹吧，真乖，真是妈妈的好孩子。你会写自己的名字吗？听你妈妈说，小莹莹可聪明了。"

"名字啊。"莹莹咬着手指，有些羞惭地低下头，"我会……我会写一二三呢，名字还……还不会写！"她转脸很骄傲地说。

"哦，那就好。来，在这个地方给叔叔写个一二三，对，就写一二三……真乖，行啦，这下我们回去就可以跟你妈妈说，东西是送到你手上的，你妈妈就放心啦。"

"一二三……这样也行？"刘禹州狐疑地看向黑桃八。

黑桃八笑容满面，微微点头，让刘禹州放下了心，只要是目标客户执笔就有效。

白光一闪，信封消失，露出里面一个一本书大小的棕色包装盒。

"快看看你妈妈给的是什么礼物。"刘禹州催促着小孩。

包装盒并没有捆扎，小姑娘坐在床头伸手打开，里面平放着一个小巧的布娃娃，看样式是典型的西亚风格。

"哇，太好啦！莹莹喜欢。"莹莹高兴地伸手轻轻拿起布娃娃，在怀里搂抱着，"妈妈真好，妈妈最好了！"

听完这句话，刘禹州鼻子一酸，几乎落下泪来。他很认真地看着莹莹，说："莹莹，你妈妈说了，她希望你好好活着，你一定要记得。"

刘禹州主动打电话约林巧儿单独见面，这让林巧儿多少有些奇怪。她放下手机，坐在办公桌前愣了一会儿。

"怎么了，小林？"同事老马走过来，看她魂不守舍的样子，关心地问了一句。

"没事，嘿嘿。"林巧儿赶快摆摆手。看了下手表，接近下班时间，她犹豫一下，跟老马说，"马所，我今天有点儿事，能不能……"

"哈哈，有事好啊，小林，不是我说你，你这个年纪的姑娘也该有点自己的业余生活了，不能总是工作工作的。赶紧去吧，你这老是加班我都有些看不下去了。"

"马所，不是咱们这段时间忙嘛，大家都一样，您不是也有半个月没正点下过班嘛。得嘞，谢谢您啊，我先撤了，有事您随时电联我。还有钟哥回来您帮我跟他说声，资料我明儿一早整理好给他……"

"行了行了，你去吧，别废话了。"马所笑呵呵地看着她收拾桌面，利索地挎着小包跑出了门。

"这个年头，像小林这样的好姑娘真是不多了，漂亮、大方、热心、敬业，而且人家家境优渥，接受过高等教育，前途光明……也不知道哪家的孩子有这个福气娶她。"马所摇头感慨道。

小林开着自己的 MINI 一路狂奔，多少借用了自己警察的特权，才在约好的时间赶到地方。这一点是刘禹州最欣赏的，她从来不迟到。全然没有时下美女们惯有的那种与北京时间错位半个小时的毛病，估计这和她从事的工作有关。

刘禹州好像有话要跟自己说。林巧儿有些忐忑，心情很复杂。这几个月接触下来，她得承认，刘禹州已经占据了她心里一个很重要的位置。重要到什么程度，她不好说，但她绝对不承认那是恋人，绝对不承认！开玩笑，怎么能让女孩子先有这种想法？何况那小子也不像是有这种想法的，不然他为什么一直都是那种若即若离的态度，难不成要女孩子主动？哼，门儿都没有。

只是普通朋友。林巧儿这样劝慰自己，让自己平静下来。说实话，连她自己都觉得不好意思。从小到大，跟自己单独接触最多的男生，就数刘禹州了，要知道大学四年自己都没和男孩子一起约会过。

认识刘禹州到现在，大概也有五个月了吧。一开始还都是林巧儿主动去找他，那时候纯粹是为了苏苏的事情，林巧儿只是欣赏他的善良。不过随着几次见面，发现彼此谈得来，就接触得越来越频繁，频繁得有些超出正常朋友范围了。要知道北京城有多大，自己和几个闺蜜三两个月见不了一面都很正常。最近这一个月，林巧儿和刘禹州每到周末都会见面，当然也都是打着陪苏苏玩的名义。可往往都是苏苏乖巧地在一边拿着本子画画，两人面对面坐着谈天说地，热火朝天。这段日子，身为本地人的林巧儿才算是了解了北京城的各个游乐场。

刘禹州是个开朗活泼的人，很幽默，个性坚强，对什么事都很从容地面对，而且很有爱心。这些从对苏苏的态度就看得出来，那家伙完全是以父亲的身份来照顾苏苏，让林巧儿看了都觉得有些小小的嫉妒。

跟这个家伙在一起，真的很开心。林巧儿心里涌上一种难以言说的喜悦，柔柔的，淡淡的，在心头萦绕不去，似乎这就是幸福的滋味。

可是有一点让林巧儿难以忍受的是，总觉得刘禹州有什么事情在瞒着自己。而这个事情，还很重要。这是做警察的直觉，她没有问，是因为她一直在等，等着刘禹州主动开口说。她认为那样才正确，对于一对正在恋爱……或者是可能恋爱的男女来说。但是让她一次次的失望了，刘禹州对此表现得只有沉默，哪怕是她有时候忍不住旁敲侧击，设下语言陷阱，都没有让刘禹州吐露实话。

林巧儿一想起这个，就觉得心里堵得慌。有不能和人分享的秘密吗？和我也不能？她知道刘禹州有的时候在自己面前稍微有些自卑。不为别的，就是为了两人之间那种身份地位以及社会关系所带来的隐形鸿沟。这个是再怎样强颜欢笑都改变不了的事实。伟大的爱情总要有个对手，这种不平等就是其中一样。你可以理解为考验，这是乐观者的看法；也可以看作是障碍，这是现实者的体会。无关乎对错，古往今来，莫不如是。最起码，自己的父母就唠叨了不下十遍，隐晦地给她提醒。

可这些林巧儿都不在乎。她不是那种稀里糊涂的女孩，真的相信除了爱情世界上没别的东西值得关注；也没有唯我独尊，认为自己是上天的宠儿，万事顺遂。她也认真想过和刘禹州走到一起的结果，怎样恋爱，怎样订婚，有钱了怎样过、没钱了又怎样节省，怎样一起奋斗买房，怎样办婚礼，怎样有个优秀的宝宝，怎样一起去旅行携手走遍天涯海角，怎样在夕阳下对坐聊着家常……这些都是女孩子天生的秘密，要让她说出来，那可是绝对做不到的。

可这个可恨的小子，有想过这些吗？他到底想不想和自己……林巧儿咬着嘴唇，踩油门、急速打轮、拉手刹——嘎吱一声，MINI一个漂亮的甩尾，停进车位，让旁边的管理员目瞪口呆。

林巧儿泰然自若地下车，锁门，把包往肩上一拎，扬长而去。

刘禹州没有想过吗？他当然想过。只不过他比较悲观，总是想到如果不能带给林巧儿幸福快乐的生活，他怎样去面对林巧儿那双饱含幽怨的大眼睛。每每看到林巧儿不经意间掏出的名贵化妆品，看着她从她那辆MINI中伸手向自己打招呼，或者想起那栋价值千万的豪宅别墅，刘禹州就一声叹息。

他虽然了解林巧儿不是那种只追求物质的女孩，也相信她对自己的要求没那么高，是真的喜欢自己，可作为一个男人，他有自己的尊严。虽然他知道在爱情面前不应该过多地考虑尊严，但人心的力量哪是用道理能说服的呢？更何况，他还必须得保守工作的秘密，这样必然会使两人不能坦诚相待。好吧！如果非要究其心理，得承认这个只是借口，一个让刘禹州回避未来的借口。

今天刘禹州请小林出来吃饭，也没什么特别的目的，更没有准备什么说辞，就是想和她见个面，说说话。昨天那一单业务，给了他很大的刺激。晚上睡觉，他梦到女军人那张苍白安详的脸，梦到天真可爱的小莹莹抱着玩具在笑。

这段时间的业务，让他经常体验到这种情感。人性中那种无言的大爱，超脱所谓的善与恶，让人心生敬畏。他有时候会感到神圣，觉得自己真是加入了一个了不起的组织。每一单业务做完，他真的会觉得幸福，发自内心的幸福。这些话，他不能跟别人说，工作上的欢喜与忧愁都只能自己消化，很多时候，他会想到林巧儿，或者说是第一个想到林巧儿。虽然不能说，但他喜欢就那么跟林巧儿在一起坐坐，随便聊着，分享自己的情绪。

这是恋爱的感觉吗？刘禹州不确定，但起码他知道这样对待一个女孩，是无论如何不能简单地归结为朋友了。

也许，上天让我们在这个时候相遇，就是个错误。刘禹州有时候会这样痛苦地想。为什么不在我有房有车，有一份舒心安定、收入不菲的工作之后，再和她相遇、相知，直到携手共度余生呢？但人生在世，不如意十有八九。一旦成为了现实，再多的"如果"、"假设"都会黯然失色，纷纷坍塌倒地。

回到现实，现实是什么，现实就是他做了一份听起来非常黯淡无光的快递工作，更重要的是他不能告诉别人自己的工作内容与性质，哪怕是自己最亲近的人也不行。这注定要成为横亘在恋人之间的一大障碍。

他知道林巧儿对这一点很在意。谁都不喜欢被隐瞒、被欺骗，尤其是对自己喜欢的人。"其实，我有一个秘密……"刘禹州不止一次在被窝里幻想这种狗血情节——两人在幽暗的咖啡厅，对面而坐，桌子上只有一支小小的蜡烛散发着昏黄的光。两只手越凑越近，直到刘禹州的大手覆盖住林巧儿那白皙修长的小手，然后刘禹州深沉地说出上面那句话。

这种幻想折射到现实中，就是他们两人吃饭或者喝茶刘禹州都坚持选择一些很幽静的角落。而小林喜欢坐在大玻璃窗边上，这样能够轻松惬意地看着窗外。每次落座后，刘禹州鼓足勇气，打算来个表白时，脑海中就会一片空白，让他头疼不已。所以这个幻想哪怕在刘禹州的被窝里都没有结局，更别提现实中了。

所以，这一次的饭局，毫无例外地又让林巧儿失望了。

两人见面后，你来我往地聊了几句最近流行的电影、音乐，然后林巧儿就闭上嘴巴等待刘禹州介绍自己的工作情况了，但刘禹州却嘻嘻哈哈地说自己发了奖金，工作一切顺心。

林巧儿一肚子怨气，恨得直咬牙，亦无可奈何。她觉得刘禹州太没男子汉气概了，有什么大不了的事情，这么遮遮掩掩的？难道自己表现得还不够到位？暗示还不明显？你总不能让姑娘倒过来追求你吧，小子？还是……还是他真的只把自己当作一个可以聊天的普通朋友？她胡思乱想着。

两人都是食不知味，言不及义地吃完了这顿饭。

"上一个月，经过大家的辛苦努力，我们的业绩同比只下降了百分之四……"Q姐的声音响起，刘禹州和黑桃八一脸淡漠。

Q姐继续说道："大家鼓掌！这个成绩的取得和新员工刘禹州的加入，是分不开的。"

怎么听着不像是表扬我？刘禹州郁闷地想。

"不过，我们接下来还要再接再厉，群策群力，共同努力，把我们的业务做好，把业绩做上去。下面大家有什么想法，都说说吧。"Q姐在唠叨了半个小时之后，算是终于刹住车，想起来这办公室里还有两个手下也需要发发言。

刘禹州举手，慷慨激昂地说："老板，师傅，我以为咱们这样下去可不行，必须改变。不然，咱公司的前途堪忧。"

"改变？怎么改变？看来小刘你有想法，来来来，说说看。你进公司也这么长时间了，谈谈你的意见。" Q 姐端坐在办公桌后面，一只手按在桌面上，手指无规则地敲击着。刘禹州要是懂事就知道这是老板不耐烦的表现，不过他不懂，或者是装不懂。反正这公司总共就三人，没有什么可顾忌的。

首先是感谢领导和师傅的关心爱护，使自己茁壮成长。这个话刘禹州说得比较顺溜，当年在学校当学生会干部时没少开会。

其次是分析业务形式、市场、客户的变化，这是他的专业、强项。虽然缺少数据支持，但是条理清晰，思路明确。也没法不明确，公司面临的状况，是个人就能看出来。

"这个世界在变化、在发展，所以我们也不能固步自封，老是原地踏步。"刘禹州的发言很是振奋人心，"要用发展的眼光看问题，要与时俱进啊同志们……哦，老大们。奥巴马怎么说，CHANGE！对，我觉得改变很有必要。"

刘禹州看到 Q 姐正用鄙夷的眼神看着他，吓得他赶紧停了下来。

"要有具体措施，不然岂不是放空炮，提出问题谁都会，解决问题才是重点。" Q 姐叩击着桌面认真地说。

刘禹州想了想，深呼吸一次，继续发言："我建议，首先，我们要扩大业务范围，也就是说我们不能只送快递。咱们这一身本事，哦，我是说咱公司这强悍的实力，干什么不行？干什么都比送快递强啊，是吧？"

黑桃八目不转睛地盯着桌子上的纹理看，一声不吭。

"哦，具体怎么做？" Q 姐不弹手指了，饶有兴致地盯着刘禹州，鼓励地问道。

"比如，我是说比如啊，咱们可以劫富济贫，拿那些别人通过不正当手段得到的东西，然后把它们支配给需要的人。"

"接着说。" Q 姐笑吟吟地看着刘禹州。

"还有，我建议要扩大业务来源。咱们现在太被动，等着业务上门，这怎么行？我是说咱们不能坐等生意，必须要有大营销的概念，主动出击，去争取更多客户。我们现在那个客户触发设置太苛刻，很没必要嘛。我建议放宽，不要那么严格，只要有需求的我们都可以接待。"

"嗯嗯，不错的想法，接着说。"

"还有……还有，对了，我建议增加支出，积极改善员工的福利待遇，提高员工工作积极性……"

"哈哈，你这小子，你意思是现在你没积极性，工作不主动吗？"

"我……我不是那个意思，就是这么一个建议。"刘禹州不好意思地低头。

"为了达到以上改革的目的，我建议对公司的组织机构作出调整——"这个是戏肉，必须得巧妙地说出来，"我建议成立一个策划部，专门负责公司的市场推广和战略规划，当然如果客户服务方面有需求，这个部门也是可以承担。我个人对担任这个部门经理比较有兴趣……"

"好大一条狐狸尾巴，你别笑，早就知道你憋着这出呢。"Q姐微笑着转向黑桃八，问道，"老黑你怎么看？"

黑桃八抬头，不容置疑地说：

"第一条，否决。咱们就是送快递的，我们快递的不是普通货物，是一种意念，这个不容改变。改变这一点，也就是改变我们公司的理念，公司也就没有存在的必要。

"第二条，否决。只有那些最需要我们帮助的人，才是我们的业务对象。不付出代价就不会知道我们业务的可贵，也就不会珍惜那一份来之不易的情感。

"第三条，否决。我没觉得工作没有积极性。我也不觉得有提高待遇的必要。小刘，不要把那些身外之物看得太重。你的思想境界还需要提高。"

"我……"刘禹州愤愤不平，若不是师徒关系他就要当面驳斥了。

我怎么就思想境界低了？再说思想境界多少钱一斤？管用吗？我晚上请客没钱能用来思想境界抵账吗？拜托，都什么年代了，我还要生活，还要娶老婆生孩子，买房子、车子，都是要钱的好吧？

黑桃八接着说："业务不景气，我以为不是我们公司的问题，是这个社会的问题，我们是没办法解决的。不过我认为，社会风气总有转变的那一天，我们的业务会好起来，一切都会好起来的。多变的世界，更需要我们有不变的原则。公司的原则不能改变！"

黑桃八说得斩钉截铁，不容置疑，用坚定的目光扫视着Q姐和刘禹州。刘禹州只好无奈地闭嘴低头了。

"那在此之前，就让我们等待吧，努力地工作，静静地等待。"Q姐一句话，给今天的会议画上句号。

而精神不振的刘禹州则继续被黑桃八带着，进入健身房苦练。

叮当，叮当……和铁块子战斗了一个多小时，刘禹州终于忍不住了，把杠铃放下问："师傅，我们这么坚持着，到底是为什么？"

"什么为什么？"

"我就想问为什么，我们做这些，这些事情有什么意思？送点小东西，什么戒指啊、项链啊、手机啊、照片啊、证书啊、石头啊……好吧，我承认这些事情，就是这种快递业务能助人为乐，给一些人带去希望，带去爱，可就算是能助人为乐，但这样的效率，能帮助多少人，对于整个世界而言，又有什么价值？"

"你觉得没价值吗？按照你的想法怎样才是有价值的？"黑桃八斜睨着刘禹州问。

"那个我倒是没想过。不过我觉得总会有的，以我们这样的神奇能力……航空航天？深海探险？国际特警？总之我是觉得咱们大材小用了。"刘禹州嘟囔道。

"那还是听我说吧。你记住，咱们的价值就在于——这个世界需要我们的存在。每个人在绝望的时候，在需要帮助的时候，都会渴求奇迹的发生。咱们在他们彷徨、脆弱、无所适从的时候给予他们帮助，完成他们心底的渴望。

"咱们来创造奇迹！不在乎多少，只要有咱们创造的奇迹，就会给人们带来希望。现实世界中的人不知道咱们的名字，但却会传诵这些奇迹，每个奇迹的发生都会告诉其他人，只要你用心，真心地期盼，就可能有奇迹的发生。所有的人，到什么时候都不要忘了这一点。

"他人的命运会因你而改变，这就是咱们存在的意义。"

得承认，这是一个崇高的坐标，震撼心灵的坐标。被震撼的刘禹州顿时没了底气，他也突然明白，自己这突如其来的胆怯，是向黑桃八言辞中的正义低头，无论什么时代，邪不压正，是颠扑不破的真理。

他的这一次因为震撼的走神，失手将哑铃滑落，险些砸了黑桃八的脚。

"为什么我每次认真说的时候，你都不认真听？"黑桃八狼狈地躲闪着，恼怒地喝斥。

刘禹州一脸歉意："您说得太好了。我在认真听，就是不太懂。对了师傅，问你个事。"

"说。"黑桃八恨铁不成钢地看着刘禹州，拿着小黑本琢磨着是不是该给他加点量。

"今天的体能训练什么时候能结束啊？"刘禹州小心地问道。

"结束？"黑桃八又拿来两片铁家伙挂在刘禹州举起的杠铃上，狡黠地笑道，"我说结束的时候就能结束了。"

3

"我说小五，你这样下去可不行。"陈薇薇很没形象地啃着鸡翅。

她刚帮了刘禹州一个小忙，这算是刘禹州答谢她的一顿辛苦饭。刘禹州请她采访一下林巧儿所在的那个派出所。陈薇薇正好在新闻频道负责一个政法类的栏目，给自己的表弟站台撑场面那是毫无问题的，虽然这个报酬实在是少了点。

这一个月来，刘禹州跟林巧儿的关系，很难说进展到哪一步了，虽然彼此都没有明确说出什么，但在平常的接触中，已然是有那么点小暧昧了。陈薇薇那眼睛多毒，只是三言两语，就全盘了然。在采访中也是相当配合，给足了林巧儿镜头不说，连带着将派出所上下也都夸赞了一遍，放出话一定要做出精品，让陪同采访的市局宣传处领导很是满意。这一下，林巧儿在单位里狠涨了一番功勋值。

可事情结束，陈薇薇就要拉着自家弟弟好好说道说道了。

"什么不行？"刘禹州疑惑地询问道。

"不是说这个姑娘的问题。这个姑娘我看行，没意见，我相信她对你也是有点意思的，我这双眼睛绝对不会错。就是你啊……"陈薇薇津津有味地咀嚼着嘴里的食物说，"你这个工作也太不给力了。一个送快递的，跟人家门不当户不对的，人家爹妈得多大的度量才能认同你。小林跟你说什么了吗？没有吧，那你呢？你有什么表示没有？还只是普通朋友？看看，你啊，要我怎么说你！别跟我扯水到渠成什么的，小子你还嫩……这就是手快有，手慢无。"

"可是……"刘禹州打算发表意见。

"我早就说了，你跟我进电视台，姐现在好歹有点小权，给你个临时工待遇还是可以的。挣钱是少点儿，但有发展啊，你这一辈子总得考虑以后……我告诉你啊，这男怕选错行，女怕嫁错郎。送快递，你可要想清楚了。"

陈薇薇旁征博引，说得有理有据，不容刘禹州有反驳的机会。

"可我这个……"刘禹州叹气，要怎么说？难道顺应她的思路，告诉她自己面对林巧儿压力很大，认为工作没前途？这时候的刘禹州终于明白什么叫哑巴吃黄连——有苦说不出了。

陈薇薇扔下骨头，仰头伸个懒腰，一本正经地说道："姐三十岁了，什么没见过。我知道你是想靠自己奋斗，不想沾姐的光。你那点儿小心思，从小我就知道了。留在北京都不跟我打招呼，非得我主动来找你。你小子！有这个脾气是好事，男人嘛。不过有机会来了，你也不要拒绝，还是现实点吧。我可告诉你，过了这个村，可就没这个店了。要不是看在你小时候听话，帮姐偷试卷的分上，姐才懒得管你。"

"哦，姐你真仗义，多少年的事儿了……"刘禹州咧嘴笑笑，继续无奈地周旋着，"其实你理解错误了。"

其实刘禹州每当面对关于林巧儿的问题的时候，都会后悔刚刚过去的这个夏天。假如不伸手去接坠落的苏苏，那么他就看不到那串让他又爱又恨的电话号码了，也就不用从事这么一份苦不堪言的工作了。但转念一想，假如没有伸手，那么他也不会受伤，更没有与林巧儿认识的机会了。换种说法，是人生快递这份工作，给了他认识林巧儿的机会。那么自己该用什么心态去面对这份工作，思来想去都没有结果。人生啊，终究是在一个又一个矛盾中度过的。

"我怎么理解错误了？"陈薇薇逼问道。

"在找，我最近也开始找新工作了。"刘禹州敷衍道。

"我该怎么办？"刘禹州倒在床上郁闷地想，"要不下定决心辞职，找一家体面的公司吧，干点苦力，从头学习，就为了和林巧儿能有更好的以后。"但认真一想，这个想法似乎是不可能实现的，且不说能不能摆脱这个古怪的灵魂契约，就算是摆脱了，送快递的工作经历能否给自己的求职简历镀金呢？如果有公司给自己这个机会，工作初始的艰难又能让自己坚持多久呢？毕业这么长时间了，总不能还靠家里接济吧。可要是就这样干下去，什么时候是个头啊？难不成自己就一辈子送快递？等着退休像那个老校长一样回山区去支持贫困学生？

这纷乱的思绪裹挟着刘禹州，让他渐渐觉得自己的身体轻盈起来，像是漂浮于海面上的一艘孤独而散漫的木舟。

第二天，刘禹州拖着疲惫的身体，晃晃荡荡地来到单位。破天荒的，黑桃八居然没有到。这小半年以来，黑桃八几乎从未在他之后到过公司。

刘禹州带着疑虑，一边在网络上胡乱地看着，一边琢磨。

不一会儿，Q姐到了，打扮依然，整洁的黑色职业套装，外边披着一件米色短大衣。她经过刘禹州办公桌的时候，微仰着脸，点点头算是打招呼。

"老板。"刘禹州站起身来。

"什么事？"Q姐看看他问。

"我师傅怎么没到啊，他请假了吗？"

"你师傅？哦，老黑要休息一段时间，这些日子你要多辛苦了。还有，正式通知你，实习期结束，你转正了，算是我们人生快递的正式成员了。本来要给你开个欢迎会，不过老黑不在，就先等等，等他回来再说。"Q姐说完，径直走向自己的办公室。

"我转正了？"刘禹州有些茫然，"我这还想辞职呢。"

"老板，我还有点事想问问您。"他叫住了Q姐。

Q姐有些不耐烦，板起脸来："早上事情多着呢，有啥事情赶紧的。"

"那个……老板，要是我，要是……"刘禹州咬咬牙，把心底话说出来，"我想辞职，可不知道怎么办手续——"

"辞职？"Q姐奇怪地看他一眼，"你师傅没告诉你吗？"

"告诉我……什么？"刘禹州看着Q姐那微带戏谑的眼神，直觉上有些不妙。

"你加入了人生快递，这一辈子都是公司的员工，除非公司主动开除你，不然你是不能退出的。你以为像我们这样神奇的地方是你想来就来，想走就走的？嘿嘿嘿，趁早打消这个念头吧。"

刘禹州有些恼怒："老板，你这个可是违法的，自由择业可是《劳动法》规定……"

Q姐似笑非笑地看着他，刘禹州立马底气不足了，话音一点点低落。

　　Q姐拍拍他的肩膀，看着垂头丧气的他，很和蔼地说："小子，加入本公司，是你几辈子修来的福气。等到我这个岁数你就明白了。好好干，安心工作，只要员工不违反公司的规章制度，我们是不会辞退的，哈哈哈。"

　　Q姐的笑声，听起来无比刺耳，让刘禹州感到一阵胆寒，像是跌进了冰窖一般。这种公司的禁制恐怕不是那么好触碰的吧，让刘禹州一瞬间就想到了很多奇幻小说中的魔道手段，不由得浑身一哆嗦。

　　Q姐从手袋里掏出一部手机，跟黑桃八那个一模一样，递给刘禹州："呶，这是你的，以后你就是公司的主力快递员！代号草花七。"

　　刘禹州接过手机，默默无语两行泪，心里五味杂陈：以后，我就是一个送快递的，专业的那种。代号草花七，听着这么怪异，是人名吗？而且还不能辞职退出，要干一辈子，命咋这么苦！

　　他鼓起勇气，看着Q姐的背影，喊了一生中最奔放的一句："老板，公司给分房不？"

　　在遥远的大兴安岭，一个小山村里，黑桃八打开一扇房门，挥手散去飞扬的尘土，看着屋内那些熟悉的陈设，脸上露出一丝笑容。

　　身后，院墙外传来一声召唤："老黑啊，要修房不，咱们村里来人帮忙！你这次回来得待一段日子吧？"

　　黑桃八回身，朗声招呼："没错啊老哥，要待一段时间，很长一段时间……"

　　Q姐打开电脑，脸上露出一丝怀念的笑意，看着屏幕上闪动的彩条，暗暗地吐出一口气。都走了，黑桃八也要退休了。接下来，就是自己了。还有几年，三年还是两年？这日子过得真快啊。一代人换一代人。想想自己刚加入公司的情景，仿佛就在昨天。那时候，黑桃八才是刚满三十的小伙子，自己也正是二十几岁的妙龄少女。一晃三十几年过去……黑桃八找了接班人，自己也该做做准备了。不过，接受这份职务并不简单，这比那些正常业务可要难上百倍。

她思绪又转到刘禹州身上，看看坐着玻璃隔断外的刘禹州，不禁感叹道："也是难为他了。按照正常程序，怎么也得由师傅带一两年，只不过，现在没那个时间了。就看这个小伙子能不能过得了那一关了，但愿能吧。既然是公司系统主动选择了他，应该有他在的理由。说到底他还是个年轻人，有些想法也很正常。这个社会，有些现实总是要面对的。不过有些制度上的改变，也得考虑考虑了。时代变了，人的思想也在变。公司的规则确实需要变化，当然不是草花七所谓的'分房'，主要是给予属下更多温暖的关怀和完善的福利。公司不能靠道德感召来培养员工，而是要靠制度，不能让员工吃亏。"

她知道刘禹州最近的烦恼。这个小伙子人不错，阳光、开朗、善良，有什么事都写在脸上。当年的自己和黑桃八，不都是这么过来的吗？

得承认从事这么一份伟大的工作是一种人生幸福；可要能理解，或者说是享受到这种幸福，并不简单。当员工没有感受到这种幸福之时，公司就得发挥作用，积极地引导和培养。精神境界的升华与个人对现实生活的追求有的时候也需要辩证统一。这大概是 Q 姐这三十年里悟出的结论，也是人生快递公司与时俱进的新道理。

片儿尖曾经反对这样向社会招聘员工补充的办法。他建议公司自建基地从小进行培养，被她和黑桃八给否决了。那么培养出来的人，是一个机器。何况那样对待一个孩子，跟人生快递的公司宗旨相违背。我们传递"爱"给别人，并不意味着我们要先剥夺员工被"爱"的权利。

正琢磨着，叮铃铃……电话声响起。

Q 姐抄起桌上的电话，用真诚热情的声音说道："您好，人生快递……"

这是刘禹州第一次单独做业务，心跳得有些快，嘴唇发干，手也有些抖。

"这没什么，这都没什么！一切都正常！"他暗自鼓劲，按照业务规范，立定站好，双手在胸前一拍，然后把手机按在公司的大门上。

白光闪动，传送门开启。

刘禹州稳一稳心神，伸出左手，握住门把轻轻一扭，推开大门，迈步走进去。

这里应该是位于非洲中部的某个山麓脚下的一片密林。

刘禹州从一个巨大的树洞中钻出，嘴里发出"呸呸"的声音，吐出嘴里的异物；双手胡乱划拉着，把满头的蛛丝扫落。一只不知好歹的花纹蜘蛛跳在他背上，恶狠狠地向他发起攻击，打算给这个破坏自家房屋的庞然大物点儿颜色看看。

啪啦！一束电火花在刘禹州的衣服上闪耀，立刻将这个拳头大小的蜘蛛烧成一团焦黑掉落在地。

"小样儿，不知道我是人生快递的！干扰我们伟大事业的家伙统统赐予平等的死亡！"

刘禹州扶正帽子，举目观察周围的地形。迎面而来的热浪使他感到焦躁。

"这家伙，跑得还真远。"他抱怨一句，按照手机上显示的位置，继续在密林中行进。

这是刘禹州第一次独自出任务，他的定位水平比黑桃八差得多，偏离目标至少有二百米，但在丛林里走起来却有一公里那般遥远。又是密林深处，根本无人经过，没有什么路径可言，只能靠着自己蹚出一条路来。

花了半个小时，在业务规定时间限制的边上，刘禹州见到了那个委托人。虽然不知道业务失败会是什么惩罚，但刘禹州一点儿也不想去尝试，想来不是扣钱那么简单的。

呼呼……刘禹州喘着粗气，感觉自己的皮肤滚烫，呼吸急促，感觉肺快要爆炸了。

"你……你好，我是……人生快递……有什么可以……可以效劳。"他努力地站定，摆出一副笑脸，连满头的汗水也来不及擦。待看清委托人，心里一惊：不会吧，又是个马上要挂的？难道我们这个业务委托非得是这种生死局面才能打开？也是在这一刻，他明白了黑桃八所说的"与时间赛跑"绝非夸张或吹嘘。

"哈哈，真的……真的有你们啊，太……太好了。"那个委托人躺在地上，艰难地大笑道。他的表情复杂，有一分痛苦不堪，两分如愿以偿，三分万般无奈，四分欣喜若狂。

刘禹州走近他，蹲下身来。

这个人大概三十多岁，男性，躺在一片草丛中。看模样像是丛林探险家，一身野外探险装备，身边躺着一个大背包。在他身侧，还有两具尸体。

男子似乎是中了毒，脸上泛着青灰色。没等刘禹州进一步发问，他就微微抬起右手，掌心里托着一块鸡蛋大小的石头，用微弱的声音说道："请你把这个，送……送到我家人手里。"

刘禹州伸手接过那块石头，随意看了一眼，心里就是一阵惊喜：这是钻石！这么大的钻石原石！天呐，这个可是无价之宝！

他刚要把手缩回来，就感觉到腕子上一紧，手被那个垂死之人牢牢地抓住。

那个人眼睛里都散发着将死的灰色，看上去十分恐怖，他死盯着刘禹州，咬着牙说道："你们……你们是人生快递？你们会帮我送到？"

刘禹州看了看手中那块乌突突的石头，在石头缝隙中已经显露出一丝晶莹的亮光，是水蓝色的钻石光芒，如同深夜的星空，又如纯净的海洋，神秘、深邃、诱人。他闭上眼，深呼吸，再度睁开眼，冲着那个人点头："如您所愿，请您相信专业人士。"

"这我就放心了。"男人微笑着，松开了手，"真……舍不得……活着真好……"话音渐弱，终归于沉寂。

"哎，你别死啊，你还没说明白到底要送给谁！喂喂，你说清楚啊，要送给哪个家人？你家还有多少人……天哪，这可麻烦了！"

"呼叫总部，呼叫总部……"

刘禹州捧着手机狂喊。

屏幕上 Q 姐的头像不断闪动，她一声怒吼："闭嘴！你干吗？不要把手机搁在嘴边……有事赶紧说。"

刘禹州把当前的困难讲述了一遍，重点强调没有目标收货人："老板，委托人没有指定具体收货人的情况，咱们怎么处理？"

"你想怎么处理？" Q 姐借机考查。

"退货呗，一般来说。不过现在情况特殊……这个委托人已经死了。也就是说，目前，这个货物属于无主状态，要不您看……"刘禹州把那个钻石原坯在手机前晃晃。

Q 姐皱着眉头，生气地说："谁说没有目标收货人？"

"真没有啊，老板。我刚才查过了，这委托人天煞孤星，连个三代以内的亲戚都没有，是孤儿出身！"

"那么他最后残留的意念你查过没有？"

"意念？怎么查？"刘禹州愣愣地说。

"看来老黑忘了教给你了。" Q 姐嘀咕道，完了又说，"你用手机调阅一个文件，就是那个带骷髅头的，看一下'最近业务—委托人状态—委托物品—目标收货人'，看到没有？有个印象。"

刘禹州依言查阅，惊讶地说："哎，真的有啊。不过这个是怎么弄的，难道是灵魂投影？"

"对。这是属于委托人意念的一部分，是他委托业务的主要信息，也是我们做业务的一项主要依据。只有它和语音记录相对应，才能够确定委托人最真实的想法，最准确的收货人目标。这也是我们在长期业务过程中形成的一个方法，在某些特殊情况下，比如这次，委托人没有说明收货人的身份，就需要动用这个意念投影记录来确定了。一般情况下是用不到的。明白了吗？"

"明白。"刘禹州第一次尝试，感觉很惊奇。

他刚走没多久，密林中就响起嘈杂的脚步声和喊叫声，一帮皮肤黝黑发亮的土著挥舞着简陋的兵器，冲进了丛林中。一个插着一身黄色羽毛的头领在众人的簇拥下来到那三具尸体旁，挥舞着一根人头杖，嘴里念念有词，浑身颤抖着，仿佛在做法事。

他突然停止了声音，将眼睛一瞪，指着刘禹州离去的方向大声喊叫，其余的土著人呜嗷地应和，一窝蜂地追了出去。

这个声音离着老远刘禹州就听到了。他再无知也知道这些追兵绝对不是来请他吃饭的，暗叫一声"倒霉"，赶紧跑路。

"呼叫总部！呼叫总部！"刘禹州边跑边拿着手机喊。

"又怎么了？哦，草花七你在被人追杀啊？听起来人数不少……"

"少废话，老板快点想办法啊！"刘禹州吼叫。

"这点小阵势你就经受不住了？前些日子怎么训练的？学的东西都忘了？自己想办法，我还忙，挂了啊。"

"喂喂，老板，不带这样的……"

学的东西，学的东西，哦对了，我学过怎么逃脱追捕。找个地方，找个地方——啊，有了，上树上树。

刘禹州趁着追兵被密林遮挡、视线受阻的空当，手脚并用爬上旁边一棵三人才能合抱的大树。树上挂满了藤蔓，好多地方都长着湿滑的青苔，刘禹州没耽搁片刻，爬到了离地四米高的树杈之间。随即他找个阴暗的角落，合身趴下，启动了衣服上的隐身功能。

不到两分钟，追兵就呼啸而至。十几个土著呜嗷叫嚷着，从树下飞奔而过，根本没有人发觉到树上藏着个人。

倒是那个首领在跑过树下的时候，速度放慢，略微犹豫了一下，好在随即又放弃了查探的打算，继续追了上去。

刘禹州长出一口气，解除了隐身。这状态虽然不错，但是有时间限制，最多可以持续十分钟，一个月内只能动用三次，而且必须在阴暗的环境下才有效，在明亮环境下效果比较差，最多能够起到一些干扰视觉的作用，做不到完全隐身。

就在刘禹州准备下树的时候，他感到脊背上传来森森的凉意，下意识地，他收回了伸出去的手，缓缓将头扭了过去。一条粗如成人手臂的大蛇正沿着他的身体缓缓游动，一双冰冷的金黄蛇眼，正直视着他。

刘禹州费了吃奶的力气才把即将冲出喉咙的那一声惨叫憋回去。他呆若木鸡，一动不敢动，脑子里飞快地想着平时积累的应急措施，但关键时刻脑袋里一片空白。他能做的就是将目光收回，整个身体平伏在树干上，心里不住地祈祷。

好在这条大蛇对他没什么兴趣，可能也觉得在他身上这么游动不是很舒服，就转个身优哉游哉地消失了。

刘禹州的心脏怦怦直跳，翻转身体后，整个人瘫软在树上。破界手套的冷却期还没过去，这意味着他依旧要在这个环境里停留几十分钟。

"做个业务这么难吗？老天啊，我是帮助别人的，你不能这么对待我！"刘禹州心里低沉地哀嚎着。等手套冷却期一过，一秒都不耽搁，他打算开了传送门就走，心里暗暗发誓："真是太危险了！我一定要争取外勤补助。"

收货人的地址，位于中国山西省一个偏僻的小县城。在小城的北郊，一个略显破败的大院，就是刘禹州要到的地方——县福利院。

福利院分为两个部分，一部分是孤儿院，一部分是敬老院。小县城没有那么多钱，原本应该分置的机构只能合并在一起。福利院的工作人员只有两个，一个是院长，年近七十的赵大妈；一个就是做饭的张师傅。这两位都在这里干了一辈子。陆续有几个年轻人被上级分配来，但干不了几天就都另谋高就，谁也不想陪着一帮孤寡老幼过日子。更多的时候，是社会上的一些好心人自愿来帮忙。要不然单凭这两个人，真的坚持不下来。

这天晚上，赵大妈把院门关好，巡视了一遍各个房间后，回到自己的屋子准备休息。她躺在床上，随手翻着账本，点算着这个月的开销。

福利院靠国家拨款，只能是个维持。就算是这两年有所增加，也解决不了根本问题，能保证每天的饭钱就已经很不错了。要是想给这些孤儿们添置点学习用品，那就只能靠爱心人士的捐助了。另外，老人们也需要些新被褥，眼瞅着入冬了，后面一排屋舍的房顶还需要修葺。

前几天一个县里的企业家捐助了五千块钱，本打算存起来应急的，但眼看着孩子们越来越大了，不能断了他们走出这里的路啊，吃穿不讲究，但知识是一定要学的。她盘算着如何请一位老师，如何买到廉价的学习用品。

"咚咚咚……"一阵清脆的敲门声响起。

"您好，我是人生快递……"刘禹州微笑着对开门的赵大妈说。

"难为小凳子还记得我。"赵大妈拿着那块石头眉开眼笑，"他还好吧，这一晃十几年过去了，他孩子都该上学了。听说他出国了，在什么非洲。"

刘禹州保持微笑："还好，过得不错。"

"他也是，十万八千里的，他干吗给我这老婆子送块石头啊？"赵大妈奇怪地问。

"这个……"刘禹州顿了一下，笑道，"这也许是个宝贝。"

"宝贝？这小子，搞什么东西？宝贝他舍得给我老婆子？别开玩笑了……"赵大妈不以为然地把石头放在桌上，亲切地说，"小伙子你赶路也累了吧，真难为你跑这么远的路，要不在大妈这里歇一晚？"

刘禹州婉言谢绝，告辞出门。

赵大妈送他到门口，才奇怪地想起来："对了，我把大门锁上了，你是咋进来的？"说这话时她眼中闪过一丝警惕。

刘禹州微笑着没有答话，他举起手，握着银色的笔轻轻一挥，一片银光闪过，赵大妈顿时就呆立在那里，仿佛被点了穴一样。

过了几分钟，她猛然一个激灵，清醒过来，惊讶地看看自己，再看看屋里屋外，浑然忘记了自己为什么站在门口。

"我这是……我这是怎么了？"她疑惑地摇摇头，"我要干什么来着？"

她悲哀地认为自己老糊涂了，思维意识已经无法与行为同步。想到这里她愁绪万千，自己走了，这里的老人们、孩子们可怎么办啊！

"这个是……对了，是小凳子给我的……他什么时候给我的来着？我怎么想不起来了。唉，也不知道他现在过得怎么样。"她低头看见了桌子上的石头，喃喃自语着，将石头放在了书架上。

轻薄的月光照进了屋子，书柜披上了一层薄纱，而那块石头在光的照耀下，闪现着透亮的蓝色光芒。刘禹州希望赵大妈发现这个秘密，但是他不能说，随着阅历的增长，他已经明白黑桃八所说的那些话。

"我们只是送快递的。"

"不要干涉别人的命运。"

4

今年的第一场雪终于到了。这天一早，刘禹州就打电话给公司，要请一天事假。

说起来公司还是很人性化的。刘禹州一说请假，Q姐就爽快地答应了。当然了，前提是要他随时候命，有业务就马上出发。

Q姐心里明白，自从黑桃八休假之后这一个月，刘禹州就没有什么节假日可言，都是全天待命，即便是节假日按照加班算薪资，那他也有怨言。好在现在业务不多，不然还不得累死。年轻小伙子，谁不希望多点自由时间呢。

刘禹州今天打算去孤儿院看苏苏。

还没进院子，他就听到一群孩子的喧闹声。他不觉加快了脚步，想看看苏苏是不是也在嬉闹的人群中。他看见三个十岁左右的男孩，喊叫着从他身前跑过。为首的一个手里还举着一个大大的画本，嘴里叫着："追呀追呀，小哑巴，你来追我呀。你学声狗叫我就还给你……"

一个瘦小的身影追着他们，愤怒地呜咽着，却始终无法吐出半个字来。

刘禹州紧走几步，伸手将男孩手里的画本一把夺过来，吓得那三个男孩"哇呀"一声怪叫，迅速跑远了。刘禹州心疼地蹲下身，迎着那个瘦小的身影张开双臂。

"哇啊啊！"穿着小花布棉袄的苏苏一头扑进刘禹州的怀里，伤心地哭泣，紧紧搂住他的脖子不放。

"好了好了，有叔叔在，不哭了。"刘禹州轻轻拍打着苏苏的背安慰着。

这些臭小子！刘禹州暗暗叹气，倒不是要跟小孩子一般见识，只是那些孩子叫苏苏"小哑巴"，实在让刘禹州有些愤懑。虽然接触不多，但他感觉得到，苏苏对自己不能说话是很在意的，一旦涉及这方面的话题，都会让她很自卑，很难过。

本来苏苏也到了上学的年纪，却因为这个问题一直耽搁下来。孤儿院方面也没有办法，没有哪个小学愿意接受这么一个有生理缺陷的孩子，何况还是身份不明的。

苏苏的哭由呜嚎转为了哽咽，但刘禹州却感觉到从那小小的身体里传来的悲伤和无助是那么令人绝望，心里犹如被针刺一样难受。他断然抱起苏苏走向孤儿院的办公室。

院长是个很和蔼的中年大妈，但听了刘禹州要求收养苏苏的话，却无奈地拒绝。

"小刘啊，不是大妈不帮忙，只是……你想收养苏苏这件事不符合法律的规定。你听我说，我知道你的情况，上次你和小林警官来的时候我就打听过了。你是个好人……"大妈继续说，"你跟这小苏苏是有缘分啊。我绝对相信你的人品，也相信你是真想帮助小苏苏过上好日子……"

苏苏擦擦眼泪，抱着刘禹州的胳膊怯怯地抬起头，偷偷地打量着这个救过自己的叔叔，脸上浮现出一丝幸福的笑容。她明白这是对自己而言多么重要的时刻，假如院长奶奶同意，自己就可以跟这个叔叔生活在一起，从此再也不会受欺负了。她紧紧攥着刘禹州的手指，跟他一起认真地听下去。

"不过呢，你瞧，咱国家有规定，要收养孩子，得有先决条件，尤其是异性收养。对了，小刘你今年……"

"我二十四了。"刘禹州赶忙说，心里有些惴惴不安，早知道去看看这方面的知识就好了。

"那更不行了，得相差四十岁呢。"大妈叹气说，"你心地好，这个大妈知道，不过规定就是规定。再说小苏苏现在身份不是没查明嘛，万一她还有亲人在世，要是以后找来，也是个问题。另外，你以后不得结婚吗，到时候再给你添麻烦那也是不好的。"

"院长，我想让苏苏上学，不知道您这里怎么个安排法？"眼看领养是行不通了，刘禹州及时换了一个话题。

"上学问题啊，这个我们也在努力。不过呢，小刘你也看到了，我们的能力有限，院里的孩子也不少，到现在还有几个孩子没能安排好，像苏苏这样的……难哪！"

经过一番了解，刘禹州算是弄明白了，想让苏苏上学也不是不行，还是一个字，钱。只要有钱，就能办成。但是，这笔钱不是一万两万那么简单，至少得十万。

刘禹州一阵失落，按照自己目前的收入来看，省吃俭用也得两三年才能攒够。

告别了院长，刘禹州带着苏苏在外边玩了一天，去了游乐场，吃了麦当劳。无论走到哪里，苏苏那个大画本从不离身。以前那个背包已经破烂不堪，不能使用了，刘禹州给她买了一个新书包，正好把画本装进去挎在身上。背着新书包的苏苏更加高兴了。

苏苏拿出画本，很得意地给刘禹州展示她最近的几幅作品。

得承认苏苏的画技比以前有所提高，况且这些全是她自己摸索出来的，看起来真的很有天赋。毫无例外，这几幅画仍然是以刘禹州为主人公的。而画的内容，全都是跟他业务有关的场景，分别显示着不同的业务、不同的地点、不同的人物！虽然画面比较简单，但大体的情况还是能辨识出来，可以看出有传送门、有手套、有银色的笔、有大信封等等。自己的形象，已经比之前有所改观，成为了四肢齐全的小人儿。

面对画本，刘禹州越发感到惊奇了，苏苏好像是所有事件的亲历者，将人物、场景甚至物品都画得那么准确。

刘禹州彻底相信了Q姐关于苏苏的断言。也许，真的应该带Q姐来看看这个孩子。

"苏苏，这个画你给谁看过？"刘禹州问道。

苏苏呜呜啊啊地说着，比划着。现在刘禹州大体上可以理解苏苏的肢体语言，能做一些简单交流。苏苏非常聪明，能用一些自创的动作来表达自己的意思，同时也能让别人轻易地理解。

"是小林阿姨啊？嗯嗯，苏苏，叔叔告诉你，以后不要让别人看到这些画，尤其是这些关于叔叔的，好不好？"

虽然苏苏很有绘画天赋，那些画画得已经比较逼真了，但刘禹州并不觉得有什么人能从画里看出问题。尽管如此，可刘禹州还是认为看过画的人越少越好。

临到离别，看着苏苏站在孤儿院门口，噙着泪水，拼命地挥动小手，刘禹州就有一种深深的无奈。

"我能做的好像就这么多了。还能怎么样？我毕竟不是她的父母。再说，我也没有钱。我要是有钱，肯定先让她入学，然后再请好的美术老师辅导她画画。别的不能保证，我一定让她离开孤儿院，不受别的孩子欺负。"

在刘禹州独自哀叹的时候，眼前出现了那块钻石原石的影子。要是它在我的手上就好了。刘禹州这样想着。

接下来的一段时间，公司业务量有所增加，让刘禹州忙得脚不沾地。甚至有一天，出现了同一时间两笔业务呼唤的情况。Q姐只好紧急召回了黑桃八，才算处理过去。

那一天，也是两个月以来刘禹州第一次见到自己的师傅。

黑桃八看起来红光满面，精神焕发，除了头发有些发白之外，整个人反倒感觉年轻了几岁。刘禹州只知道师傅是在家乡翻修房子，准备以后安度晚年。师徒二人的交谈极为匆忙，等他出完任务回来，黑桃八已经结束任务回家了。刘禹州发现，自己竟然想念这个曾经把他折磨得半死的老头。

忙乱了小一个月，眼看就到年底了，刘禹州又开始嚷嚷着招人，Q姐没理会这茬，迅速转移了话题，这让刘禹州愤愤不已。

"老板，我看咱们公司改名吧。"他推开Q姐办公室的门，走了进去。

"改名？"Q姐奇怪地看他一眼，继续在电脑上噼里啪啦地打字，"改啥名？为啥要改名？"

"您瞧啊，我做了个小小的统计。就我这些天接到的这些业务，有百分之八十的委托人都是快要挂了的，有百分之十的目标收货人也是快要挂了的。总之都是在生死边缘徘徊的时候，他们才能启动我们人生快递的业务。所以，我建议咱们改名叫作生死快递，多有气魄，也符合现状。"

"哈哈哈。"Q姐严肃的脸上露出一丝笑容，难得地笑了两声，但马上又恢复了那种刻板严肃的样子，"这个很正常啊。正常人少有那个魄力能够触发我们业务接洽条件的，当然是遇到过不去的坎儿才会想到我们。你以为一半财产那么好舍弃？若不是生死关头，有谁能答应？"

"也不一定啊，老板。"刘禹州自说自话，一副常有理的架势，"还有那剩下的百分之十我还没说呢，这百分之十都是正常人。"

Q姐哼了一声："继续说，让我听听你的伟大发现。"

"这百分之十的客户，是啥也不懂的小孩，就像上次，那个小孩居然让我帮他送根棒棒糖给他的幼儿园老师！三千公里啊，就送一根棒棒糖！而且这家伙的全部财产只是兜里的两块钱，也就是说咱们这一单业务整整挣了一块钱。"

"你居然还有点头脑，懂得分析客户类别啊。"Q姐的话听起来没有语气起伏，不知道是不是在夸人。

刘禹州就当是在夸自己了，扬扬得意地说："您别忘了我可是学广告学的，市场分析啥的那是强项。强烈要求把我调岗到市场部，总在一线不利于我的成长。"

"那你再分析一下那个百分之九十都是啥情况。"Q姐自动忽略了他的请求。

"那个百分之九十啊，据我分析，最主要的是两大类。第一类客户，是父母，其中以母亲占大多数。母亲为了自己的子女真是舍得出去，哪怕只是很小的一件东西，只要她觉得可以帮到自己的子女，就毫不犹豫地去做，甘愿付出巨大的代价。说起来我很惭愧，我想过一段时间请假回家看看，一直忙着工作，都没回过家，这儿子当得太不孝顺——"

"这个可以考虑啊，"Q姐接话道，"我答应你。"

"真是太阳打西边出来——不是，我是说老板你太有魅力了，对我们员工真是关怀得无微不至。"刘禹州欢欣地耍起了嘴皮子。

Q姐瞪了他一眼，说："继续往下分析。"

"第二类客户，是情人。这情人还多半是那种昔日的，不在一块儿了的，真是奇了怪了。而且年纪都不小了才想起彼此，思念得要死要活。我就不明白他们以前干吗去了。"

"哼哼，你这个分析，倒也有点意思。"

见Q姐难得地肯定了自己的工作，让他甚为欣慰："老板，既然——"

"啥也别说，好好工作。" Q姐这句话犹如当头一棒，把刘禹州的加薪企图扼杀在摇篮中，Q姐接着说，"你能够主动地在工作中分析问题、发现问题的精神还是要肯定的。不过，你还是要多了解、多学习。我每天接触到的业务信息多达几百条，这点分析结论我早就看出来了。我们现在需要的是踏踏实实地去干。客户怎么样，不影响咱们的选择。"

刘禹州没精打采地走出了Q姐的办公室。其实对于他而言，好事倒也有几件。其一就是他现在终于可以享受正式员工待遇，有了进门卡。这个进门卡能力不凡，可以直接从自家开门，将自己传送到办公室，简直是上班族千金不换的法宝。当然，拥有这件法宝也是有代价的——交通补助被取消。

其二就是林巧儿和他的关系又有了一丝丝进展，这个是他自以为的。当然，刘禹州明白自己现在和这个美女警官的关系是无法明朗化的，这是件很无奈的事情。没有别的，家人反对就是很强大的理由了。自从几个月前林父林母知道他是个送快递的，就明确地反对林巧儿和他来往。

说实话，刘禹州心有不甘，他可不是一般的送快递的。但又一想，人家林巧儿怎么着也算是正常的上班族，而且还是有国家编制的，他又觉得要是换了自己是林巧儿的父母也得反对。

两人做一般朋友？可看起来又不像，起码两人在一起感觉都是很好的。彼此看待对方的目光中也隐约多了那么一丝期许。更何况刘禹州无法说服自己不喜欢林巧儿……

朋友以上，恋人未满。这就是刘禹州下的定义。但如果没有什么大的变化，也许这一辈子就这样了。

元旦那天，Q姐发慈悲给刘禹州放假一天，他终于有空和林巧儿一起看电影了。电影叫啥名，刘禹州是不记得了，只知道荧幕上一对对男女爱得死去活来，还有动不动就拥抱接吻……每当这个时候，刘禹州都会紧紧地攥住椅子扶手，用极大的毅力稳住心神。林巧儿那秀气白皙的小手就在几厘米开外，身上淡淡的香气是那么诱人。侧面看去，小林修长的眉毛、俏皮的鼻梁和微微上扬的嘴角，组合成这个世界上最令人矛盾、最令人心动的画面。刘禹州不止一次地鼓舞自己：牵起她的手吧，对她说"我喜欢你"。

可事实证明刘禹州是个胆小鬼。他的手就那么放着，直到电影结束。只有那一手心的汗水，证明他内心经过了多么激烈的挣扎。可他表面上还要笑眯眯的，陪着林巧儿探讨剧情，虽然他根本不记得情节。

林巧儿作为警界美女，而且是很有背景的那种，身后的护花、追花、养花使者足有一个团。每次两人一起在外活动，他都觉得四周冷森森的，目光灼灼，不知道有多少暗探在追踪着，让他十分不安。

有一次约会，一个貌似"高富帅"的人迎面走过来，装作惊讶地来打招呼。从此之后，每一次走在街头，总会有人过来打招呼，那些家伙总是拍着刘禹州的肩膀寒暄。寒暄的内容不外乎在哪里高就，家世如何之类的。每每刘禹州说出自己的职业，总会得到那些家伙长长的"哦"的声音。

刘禹州十分不忿，百分不怵，万分不解。不忿是这些家伙眼神中隐含的那种不屑刺痛了他的自尊心；不怵是天生傲骨催生他偏要这般做，你奈我何的态度；不解是搞不清这些人都是怎么追踪到他们的。他不喜欢这种"巧遇"，更不喜欢别人看他和林巧儿站在一起的那种眼光。如果不是害怕破坏他们俩这种恋人未满的关系，他肯定会主动拉起林巧儿的手来证明自己就是赢家。

林巧儿在一边很戏谑地看着刘禹州，眼神里满是笑意，似乎对于刘禹州的这次走神感到好奇。回过神来的刘禹州觉得很尴尬，方才假设的不忿、不怵、不解统统消散，倒出现了不知所措。

"哈哈哈！"看着抓耳挠腮的刘禹州，林巧儿发出了一串清脆的笑声。

刘禹州也低头干笑两声，赶紧辩解道："我……我是在回味电影里有趣的片段。"

他抬起头，两人的目光相迎，林巧儿微笑时的眼睛像是挂在天边的弯弯的月亮，却比月亮更美。她的眼睛水汪汪的，柔美，干净。林巧儿从刘禹州的大笑中回过神来，第一次看到了刘禹州的深情，他的眼睛是笑着的，看向她的时候，似乎是被微风拂过，她竟然产生了让时间静止的念头。两个人的心跳急剧加速，身体缓缓靠近……

这个时候《小猫钓鱼》的主题曲适时响起，两人像是受惊的鸟儿，立马急速起身。是Q姐的召唤，看来有临时业务。

"嘿嘿，不好意思啊，真不让人消停，又有业务了。"挂了电话，刘禹州无奈地笑道。林巧儿倒是很大方，摆着手说："没关系。"这让刘禹州心情更加不好，怎么能没关系，一定要有关系啊！

"你们这个工作还真是奇怪，总是神神秘秘的，你不会是军事机密组织的吧？哈哈……"林巧儿似笑非笑地说了一句，装作随意地扫了刘禹州一眼。她的脸上还挂着笑容，但是眼神却犀利地逼迫着刘禹州，让他觉得后背发凉，嘴唇发干，额头上也沁出了细密的汗水。但是他明白，自己再无助、再紧张，在灵魂契约的限制下，他是无法说出实情的。

林巧儿看到刘禹州的脸色逐渐发白，心想这么问看来也问不出什么结果，不如慢慢试探吧。于是她将话锋一转，对刘禹州说道："嗨，我下个月有个活动,你一起来吧,我介绍些朋友给你认识,有美女哟！"

刘禹州刚从紧张的深井里爬上来，接着听见林巧儿居然要给自己介绍美女认识，顿时遭遇当头一棒，要不是扶住了身边的栏杆，就跌倒在马路上了。她什么意思？这是在变相地告诉他,他们之间没戏吗？可是刚才不还聊得很愉快吗？这是女人多变的情绪，还是她打心眼里排斥他？

一时间，刘禹州为自己之前的感觉羞愤，同时也为自己遭遇的结结实实的打击感到悲哀。他拿起水瓶，"咕咚咕咚"喝了几口后，发出几声像独白似的笑声，说："好啊，好啊。有这种好事，我一定到！"

林巧儿眼中闪过一丝失望，她说出那句话，本来是刺激刘禹州的，试探一下他到底是不是像她认为的那样，喜欢着自己。她也微笑着点头："那到时候见，回头我把时间地址发给你。"

没等刘禹州接话，就听见背后传来了欣喜的狂叫声："哎呀，这不是小林妹妹嘛，真巧啊，又碰上你了……"一个油头粉面的富家公子整理着发型走了过来。他身后停着一辆奔驰跑车。

刘禹州一股子恶气正愁没地方撒，一见这个公子就忍不住皱起了眉头——小子，你这都是第四回了，还真是又"偶遇"了！即便林巧儿不喜欢我，我也不会允许你这种又丑又混的人接近她的！

"哎呀！这不是赵公子吗？真巧啊。"他哈哈笑着，张开双臂迎着那公子扑上去就是一个熊抱。

"哦，你是……"对方显然没有认出刘禹州。虽然他们已经是第四次见面，不过，这个胖子从未将刘禹州放在眼里过。

不等他反应过来，就觉得浑身一紧，如同被一个巨大的老虎钳子夹住了，身上的骨头也似乎发出了被挤压而产生的响声，呼吸更是困难，只能勉强发出"啊啊啊……"的声音。过了足有十几秒钟，刘禹州才哈哈笑着把手臂松开，对方一脸惨白地呆立着，由于大脑缺氧，差点跌坐在地上。

"你们好好聊，我先走一步，回见。"刘禹州潇洒地挥挥手，转身离开了。

林巧儿对自己工作的怀疑，说不定会展开暗中调查。刘禹州不希望因为这份工作，导致二人之间有什么误会。

如果她来调查该怎么办？要是她非要问我怎么办？要是她提出想来公司看看怎么办？但如果她不调查，不问话，不来公司看看，刘禹州反而更失落。

患得患失之间，背负着这么一个沉重的心理包袱，刘禹州觉得自己有些崩溃了。纠结了几天，他觉得还是要向公司汇报一下为好，顺便也看看公司对员工婚恋的态度。

Q姐像赶苍蝇一般对刘禹州挥挥手，不屑地说："咱公司这么多年了，世上多少人想调查，不缺她这一个，随她去。"

"话是这样说啊，老板，你不怕我怕……"刘禹州叹气道，"万一她要真的调查我，还是挺麻烦的。她可是警察啊，我是说假如，假如我说漏了嘴，不是给咱公司招麻烦。"

刘禹州刚想说出自己和那名警察的关系，但转念一想，放弃了。这件事，林巧儿会不会追问还不一定呢；再说了，在两人关系的问题上，自己很可能是剃头挑子一头热。

"哎呀，随她去，一个小警察而已。咱上头有人！"Q姐有些不耐烦了，"哪里有那么多的万一，刘禹州你要把注意力和精力放在工作上。即便是真的发生万一了，那又怎样？不要自欺欺人了，你跟她之间不会有什么结果的，清醒点。能允许你保密自己的工作的，又能和你谈婚论嫁的女孩不是那么容易碰到的。你还是好好做你这份大有前途的快递工作吧。"

刘禹州本就像是爬在悬崖边的人了，结果这次Q姐又把他往悬崖边推了一把，导致他整天都是魂不守舍、精神萎靡的样子。好在一天没业务，第二天是星期六。这段日子，业务又有所减少，按照公司新规定，刘禹州可以不到公司上班，只要随时候命就可以。

刘禹州没精打采地回到家，伸手拉开冰箱门，打算看看还有啥可以果腹的东西。

就在拉开冰箱门的那一刹那，刘禹州愣住了：啊？不对！我怎么把手套戴出来了？这可是违规的！

魂不守舍的刘禹州犯了大错，这双手套和工作服一样，是下班前必须放还在更衣柜里的，不允许下班后带出公司。今天穿戴整齐待命一天，下班时将工作服脱了，但手套却忘了摘下来。

难道公司的更衣室没有什么措施？就这样让自己钻了空子，把这么珍贵的工具偷带出来?

不行,得赶快回去,赶快把手套还回去。这是刘禹州第一时间的念头。这是他学习公司规章制度后的自然反应,也是下意识里对公司强大的神秘能力的畏惧。他深恐这个疏漏给自己带来什么不可测的危险。越是在公司中干得久他就越是对公司的神奇能力产生畏惧,那套严谨细致、无所不能的体系想让自己消失太容易了。

当下,他别无选择,立刻又掏出门卡,往自家墙上一贴,开辟了到公司的空间门。

公司里黑漆漆的。

刘禹州连灯都来不及开,凭借着记忆摸索到更衣室,迅速地把手套脱下,放进专用的盒子里。一放下手套,刘禹州顿时汗出如浆,一阵虚脱,坐在长椅上连连喘息。

渐渐地,他恢复了平静,不由得有些疑惑:为什么自己这样做了居然没事儿,按理来说,这么重大的失误,公司肯定会在第一时间追究责任的,难道是……一个大胆的想法在他心里酝酿着。

这个念头一出,他就再也控制不住。理智上不断告诫自己要忍住,不要做;另一个声音却在脑海中拼命鼓噪:"试试,快试试!"

终于,刘禹州没能忍住,再次把手套戴在手上……

回到家,他饭也顾不上吃,就坐在沙发上,呆呆地看着自己手上那双手套。过了半个小时,他狠狠一咬牙:"戴都戴出来了,那我就再走得远点儿!"

他掏出手机,直接调出一个坐标,按步骤完成操作,空间门顺利开启。

等他再次睁开眼睛,眼前已是海潮汹涌,明月初生的景象。

"哈哈哈……"他在沙滩上又蹦又跳,"真的有效,真的管用。我真的来到了海南三亚!哈哈哈,发财了,我要发财了!"

第二天一早，刘禹州哼着歌在办公室里游荡。一会儿到 Q 姐门口露一面，一会儿到 Q 姐门口露一面，终于把 Q 姐晃悠烦了，她从电脑后转过头来问："你有事吗？"

"啊……没事没事。"刘禹州赶快摇手，"我……我就是想看看你有啥需要我帮忙的。"

"一边去，一边去，你能帮我什么忙。没事干是吧，去学习室学习！"

刘禹州笑容满面，把自己的企图掺杂在关心的背面问："老板啊，你这老看电脑，眼睛会坏的。我都不知道你每天怎么这么忙，咱们这点儿业务还用得着你整天盯着？"

"你以为呢！"Q 姐不屑地看了他一眼，继续盯着电脑说，"你知不知道每天有多少人会联络我们公司？这些信息都需要本老板一个个去排查、接洽，选择合适的才轮得到你去办。好了，你没事别打扰我，我这儿有好些信息要回复。"

刘禹州回到自己的座位，心里悬着的石头放下了一半。看来老板并不知道他昨晚的举动，不然她一定会问的。保险起见，他决定再查查电脑档案。

在他个人电脑里，有他的业务档案，记录着他入职以来参与的各项业务情况。他看了一下最后一条，很好，还是他上次完成的那一单业务登记。也就是说这份记录没有显示他下班后的活动状态，更没有记载是否使用公司的那些工具。

他总算是把一颗心全都放回肚子里了，忍不住又是一阵兴奋：看来昨天的行动完全没有被公司监控到。这下可好了，以后下班后我就可以偷偷地用手套了。有了这种超能力，那还不是想要什么有什么啊！他隐约看见天空中无数的小天使在灿烂的金光中飞翔，而自己就被小天使环绕着，笑纳他们抛撒着的人民币。

"今天天气好晴朗，处处好风光，好风光……"想到激动处，刘禹州忍不住哼起歌来。

时间过得很慢，刘禹州似乎被百爪挠心，坐立不安地数着时间。终于蹭到了下班，好容易等到 Q 姐拎着包走人，他在办公室磨蹭了十来分钟，确定 Q 姐不会再回来了，才小心翼翼地来到更衣室，从衣柜中拿出了手套。

尽管认为排出了一切风险，但他的心依旧跳得厉害，外面稍微有个响动就能吓他一跳。

他一咬牙，迅速将手套戴好，匆匆抓起自己的背包，走到公司大门口用门卡一刷，开启空间门，回到了家里。这一连串动作不过短短的十秒，却让刘禹州感觉自己像跑了一万米一样的累。

当夜幕深沉，月上中天的时候，刘禹州觉得肚子饿得厉害，迷迷糊糊地才从沙发上爬起身来，习惯性地拉开了冰箱门。

"啊！我好蠢啊！我有了这个，还用为吃饭发愁吗？今天就去法国吃大餐！"刘禹州盯着自己的手摇头笑道。

当晚八点，刘禹州来到了法国巴黎。站在香榭丽舍大街上，看着周围灯红酒绿的夜色，眺望远处著名的那座铁塔，忍不住伸开双臂仰天长啸。

"啊！巴黎，我来了！美好的世界，我来了！"

到巴黎的第一件事，就是先要搞到钱。这里流通的货币是欧元，所以第一件事是拿到欧元。什么地方有钱？当然是银行啊。抢银行这件事，要是在以前来说，再给一百个胆子他也不敢干；但是现在有了这逆天的神器，他对自己有绝对的信心。

他找到了银行，顺利完成了传送，但还没动手，就被监控设备发现，立刻警铃声大作，吓得他顾不上手套冷却时间未到，强行开启空间门，随机传送了出去。

这种随机传送危险性很大，指不定落点是哪儿。

"哗啦"，刘禹州从水里钻出头来，大口呼吸着。这次他算是幸运的，只是被传送进了塞纳河。

他郁闷地躺在草地上，总结着失败的经验。看来抢银行必须得有周密的计划才行，还是想想别的门道才好。

刘禹州垂头丧气地回到了家里，咕咕直叫的肚子使他把种种美好的幻想全部抛在脑后，煮了三包方便面加两根火腿肠填饱了肚子，也算是压惊了。

邦乔维的 It's my life 是刘禹州新的手机铃声。激昂的节奏，发自灵魂深处的呐喊，质朴直白却直指人心的歌词，让刘禹州一听到就立刻喜欢上了它。除了用作手机铃声，它还承担起每天清晨叫醒刘禹州的重任。

第二天，这首歌成功地将他从抢银行失败的挫折感中解救出来，再次雄赳赳气昂昂地面对生活。当然还有再次绞尽脑汁地琢磨，怎么成功地应用破界手套。

结果还真让他想到了。

这天夜里，刘禹州又一次完成了穿梭。

这里是他曾到过的地方，那个内陆小城的福利院。

不错，他想起了那块钻石原石，被老大妈当作普通石头扔在抽屉里的那块。他也希望老大妈能识别出这块宝贝，来改善福利院的老人、孩子的生活条件，但既然老大妈不识货，那么就让他用这个宝贝来改善福利院的经济条件吧，当然了，这么做还有一个目的：那就是让自己有经济能力去领养苏苏。他这样给自己鼓着劲，努力平复着激动的心情。

他已经调查过了，老大妈今天回城去她儿子那里住，也就是说，这个房间里没人。都没人了你还紧张什么？刘禹州按着怦怦直跳的心脏鄙视自己。可他也知道，这种紧张不是因为是不是有人在里面，而是很简单的四个字——做贼心虚。

就算刘禹州给自己找出一万个理由，他最终也得承认，这就是做贼。既然是做贼，那就得心虚。

门锁难不住他，这种老式撞锁他甚至不用手套就可以打开。进门后，他用手机微弱的光亮巡视了一圈，确定安全后，才移步到书柜处。

柜子里上层堆放着各式各样的小玩意儿：有颜色奇特的贝壳、干树叶、铜哨子、竹蜻蜓、小泥人、草编娃娃、万字结……中间一层摆放着一摞摞的明信片和信件，下面是一本本的相册。

那块石头放在这堆小玩意儿当中，毫不起眼；他看到了中间一层摆放着的相框，里面是曾经的客户"小凳子"站在金字塔下咧着嘴笑的照片；还看到了整个福利院的全家福，屋子的主人被孩子簇拥着，脸上绽放着幸福的笑容。

他想伸手拿起相册来看看，但手伸到一半，又迅速缩了回去。还是算了，不要给自己找麻烦的好。他心里默念道："我也是为了更多人好，请不要怪罪我，千万不要怪罪我。"同时一把抄起那块石头，转身离开了。

接下来的几天，刘禹州都是一副心事重重的样子，脑子总有一个叫"小凳子"的家伙，时不时就蹦出来号叫一声："你这个坏蛋！还我的钻石！"或者干脆发出一阵阵冷笑。受此干扰，出业务的时候，他也有些心不在焉，有一次甚至忘了让收货人签字，导致之后的工作无法进展下去，他和收货人大眼瞪小眼，对视了半天，才想起是哪里出了问题。

又一个周末，刘禹州按照上次的约定，带着苏苏出来玩。苏苏板着小脸，一路上都不太高兴。就连去到她最喜欢的餐厅，都提不起她的半点兴趣，她也不急于让刘禹州去点餐，而是拉着他的胳膊一起坐下。然后拿出自己的大画本，翻出一页给刘禹州看。

"惭愧！"刘禹州掩着脸。刘禹州当然看得出，那是自己去偷钻石的场景。自己的脸被画得黑乎乎的，只有两只眼睛可以分辨出来，眼神里透露着狡诈和凶狠。这幅形象，把刘禹州自己也吓了一跳。

苏苏皱着眉头，咿咿呀呀地比划着，告诉刘禹州一个简单的道理：偷东西是不对的。

"好吧，苏苏，叔叔承认错误，一定改正。"刘禹州老老实实地说，"我一定把那块石头还给人家，以后我保证不再这样了，保证！"

苏苏眯着眼，认真地看看他，然后用小手捏着他的嘴角，往上一扯，让他的苦瓜脸变成蜜桃脸。

刘禹州当天晚上就动身，把石头送了回去。一方面，他确实心中感到愧疚；另一方面，这个东西他拿着也没地方出手啊。这种东西来历不明，那是见光死的，他可不想被人盯上。

通过这件事，他体会到了什么叫做贼心虚，也让他明白一切产生幸福感的物质条件都得通过合法手段获取、创造，否则再多的钱，再殷实的物质生活都无法给人带来真正的幸福。他将手套放回了公司，再也不打算私戴出来了。

这次不但把石头还了回去，刘禹州还写了一个字条，留在了老院长的桌面上。字条上详细介绍了这块石头的成分和价值，提醒老院长，有机会的话可以用它来干点什么。

这样我也算是做了件好事吧。刘禹州有些欣然地想。这块心头上的石头算是落地了，刘禹州终于睡了一个好觉，在轻松愉悦的梦里，他见到了林巧儿，林巧儿第一次冲他坏坏地笑着，然后两人追逐嬉戏着……

第二天，刘禹州刚到单位，Q姐就板着脸把他叫到办公室，直接扔过一张纸来。

这是……处分通知单？刘禹州犹如遭遇五雷轰顶，吃惊地张大了嘴巴，耳朵里嗡嗡作响，一个词语反复在脑海中闪灭——东窗事发！

"你小子，行啊。"Q姐冷笑道，"这么快就学会偷奸耍滑了。

你是不是以为公司真的监控不到你？告诉你，你手机上的定位器会把你每一次启动传送门的信息都实时传送回我这里。"说到这里，Q姐拍拍自己的桌子，桌上那台电脑屏幕像是调皮的孩子似的，突然扭过头来。

刘禹州看着上面的记录，垂头丧气，低头不语。

"那可是灵魂连接，小子，只要你活着就摆脱不掉的。头一次你把手套戴回家，我就知道了。不过那是你无心之过，我也没打算追究。没想到你真的就这样堕落了，居然打起歪主意来！唉，叫我怎么说你才好。"

"老板，我错了。"刘禹州嘟囔道，"请求组织宽大处理。"

"知道错了？"

"知道，我接受公司的任何处分。"

"那好，三个月的奖金全扣，每月就发你一千五的基本生活费；取消三个月内的所有休假，没问题吧？我告诉你啊，要不是你后来又把石头送回去，这个处分可就不止这样了！"

"这个……没问题。"刘禹州咬咬牙，点头接受。

"记住，这是第一次，也是最后一次。"Q姐手指敲着桌面警告，"公司是不会容忍你再有类似行为的。你回去好好查看一下过往的公司记录，哼哼，看看以前类似的案例。"

刘禹州默默地走到门口，又回过身来，问道："Q姐，公司当时为什么会选上我？"

"嗯？你的意思是你觉得到公司来很倒霉啦？"

刘禹州并没有说话。

Q姐意味深长地看了他一眼，说："你运气好呗。"

接下来的几天，刘禹州情绪无比低落，除了完成业务之外，在公司一句话也不说，只是坐在自己的座位上阅读着那一本本资料。

人都是这样，情绪总会在时间中被消磨，开心和难过都不会是永久的。在自责中度过了几天之后，刘禹州满腔的愧疚就逐渐被愤恨取代了。不就是私用一下公司的道具嘛，有什么了不起的。难道公司给这点钱真的就要我卖命一辈子不成？有了这个念头后，越发觉得自己受委屈。情绪反应在工作上，就是他没了半点热情，不能说敷衍了事，却也绝不会再投入什么积极性和热情。

5

林巧儿上次所说的活动马上要来了，刘禹州当然知道这个活动是什么。虽然林巧儿从来也没有主动提起过她的生日是哪天，但要是连这点都搞不清楚，那刘禹州做人就太失败了。没错，林巧儿所说的活动就是她的生日 party。

刘禹州想了好久，太贵重的礼物他送不起；太低廉的，又拿不出手。最终在陈薇薇的建议下，他选了一只小巧的玉猴吊坠，林巧儿属猴，玉又养人。这只吊坠虽然不大，质地也不怎么好，但做工还是相当精美的。

他按时来到了预订的地点，一家高级的私人会所，是小林的一个朋友开的。这里已经特意准备了一个豪华包间，还提供丰盛的自助餐。

按照林巧儿的想法，她不是很想这么操办的，不就是二十五岁的生日嘛，年年都过，何必这么铺张浪费。可架不住她的父母一再坚持，尤其让她生气的是，请来的那些人，她有很多都不熟悉，其中大部分都是单身男士。林巧儿到现场后有点傻眼了，但老两口都没有现身。林巧儿只好强压着不愉快，笑脸相迎。她心里很清楚，父母是借着她生日聚会的机会，给她办了一场相亲会。

今天到场的这几位男士都很优秀，有家世优良、个人前途一片大好的家族企业管理者，也有自主创业、成功掘金的老板，还有学识丰富、著作等身的某学院副教授。他们的年纪都在三十岁上下，无论是身家条件还是举止相貌都没得说。

这样的一群雄性动物凑在一起，场面会是什么样那是可以想象的。更何况，在场的还有几位林巧儿的闺蜜，个个都是见多识广的大家闺秀，个个都是抱着挑剔审视的态度去打量和观察男人的。大家或热情奔放，或窃窃私语，或高谈阔论，或云淡风轻。开口谈巴菲特，你就俗了；扯到上个礼拜国务院的某项决议，那你的信息更新速度就太落后了。

在巴厘岛钓鱼？哥们儿现在都混在西班牙马洛卡海滩，南洋什么的很久不去了。

这款百达翡丽陀飞轮腕表不错！勉强吧，全球限量三百只，凑合着戴戴。

红酒杯对着白酒杯，各有所好，要的就是活跃和自在的气氛；青白眼逗着桃花眼，尽是风流，只不过为佳人一笑。

刘禹州一进门，就有点蒙了。

尽管他尽量做出一副从容不迫的样子，但僵硬的笑容和不知所措的眼神，还是出卖了他，他的慌张、局促早被屋里的各位看在眼里了。那些精英们挨个儿过来跟他打招呼，彬彬有礼地握手，再随意套问几句贵姓、何处高就之类的套话。一圈下来，只剩下他一个人孤零零地站在那里了。

说到底，他也不过是刚毕业两年多的一个年轻人，没见过多少世面，如果不是人生快递这份特殊的工作给他带来过一些奇遇，也许他今天的表现会更加不堪。

林巧儿走过来，将刘禹州拉进了大家的话题圈。她向所有人一一介绍刘禹州，这种行为让正在高谈阔论的几位男士吃了一惊，面前这个傻小子与林巧儿非亲非故，为何要如此郑重地介绍呢？在林巧儿的几位冰雪聪明、伶牙俐齿的闺蜜看来，那是绝对异常的，并且几乎可以断定，林巧儿和此刻满脸通红的刘禹州有着不一般的关系。既然有着不一般的关系，她们作为朋友，当然得把把关了。

"嘿，哥们儿，"一个挑染了一头棕红色头发的姑娘举着红酒杯，站在刘禹州对面，有些挑衅地看着他，"你干吗的？"

刘禹州苦笑着，木讷地应答着"你好"，却将目光投向了不远处的林巧儿，本来就有些自卑的他多么需要一个人来替他解围。他看见两个青年正围着林巧儿谈笑风生，她面对着他，但是似乎没看到他的窘境。

"我是送快递的……哦，在……在快递公司上班。"刘禹州换了个正式的措辞。

"呵呵，有意思啊，那公司是你自己的？"对方刨根问底道。

期间，另外几位女孩也凑了过来，刘禹州感觉到几双眼睛像利箭一般射向自己，咄咄逼人的气氛使得他口干舌燥，脸红耳赤。

"不是，"刘禹州老老实实地回答，"我……就是在公司里打工的。"

说完后，他生怕听见刺耳的惊讶声，于是赶紧反问道："那请问你是？"

"刚才不是已经介绍过了吗，我叫蓝敏，在一家保险公司上班。"

"哦……挺好，挺好。"刘禹州已经词穷了，只好干笑着点头。

"我爸的公司，混着玩儿的，你要对这一行感兴趣，我可以给你介绍进去。"蓝敏继续说。

"不用，不用。"刘禹州连连摆手，"我不太熟悉那一行。"

"不过啊，我真的挺佩服你这样的。"蓝敏举起手里的酒杯说，"一个人出来打拼，自己挣钱养活自己，特不容易啊。"

接下来的交谈，刘禹州已经忘了自己是怎么应答的了。他只感觉到，蓝敏的问题尖锐、犀利，几乎将自己的身世都打听到了。该拿的信息拿到手后，蓝敏也觉得没了兴趣，跟刘禹州客气地说了"再见"。如无意外，两个人这辈子都不会再见。

而这个意外能否成立，就只能看林巧儿的了。刘禹州悲观地想，林巧儿的闺蜜团百分百的会给自己判死刑，甚至是立即执行。她们会说我是个傻小子吧？会说我是癞蛤蟆想吃天鹅肉吧？会说两个人门不当户不对吧？也许，林巧儿邀请自己来的目的就是为了让我在高压之下，死了这份心吧？他开始后悔自己的决定，拍打着额头质问自己：你为什么觉得人家对你有感觉？你为什么要来自作多情、自讨苦吃？

林巧儿走过来，一脸歉意地对刘禹州说："不好意思啊，我都没时间招呼你。"

"没事。"刘禹州微笑着说。他的手在裤兜里攥紧了那只小小的玉坠。"把它拿出来，拿出来送给小林，送给她！"一个声音不住地在脑海中翻滚。

"今天是我生日……"林巧儿有些幽怨地说，"我只是打算招呼几个亲近的朋友聚一聚，没想到我爸妈给我折腾成这样。"

"哦，那……祝你生日快乐。"刘禹州干巴巴地说。他手心都攥出汗来了，手却像有千斤重，使他无法举起来。

"谢谢。"小林笑了笑，又说，"蓝敏的话你可别在意，她们几个都嘴损，但是心眼儿一点也不坏。"

"哪能呢，我了解，你的朋友嘛，对你自然很关心了，其实也无所谓。"刘禹州慌张地挤出一丝笑容。

"嗯，你……走吧，去切蛋糕了。哦对了，告诉你一下，我已经调到治安科了，以后工作就没那么轻松了。"

什么意思？刘禹州懵懵懂懂地被拉着走向蛋糕。高大的三层大蛋糕上插着二十五支蜡烛，在一片欢呼声中，小林切开蛋糕。刘禹州站在人群中，随着大家一起鼓掌。

大家的生日礼物都拿出来了，有名贵的衣服和皮包，有价格不菲的项链和手表。刘禹州手心里的那只质地不纯的玉坠是那么卑微，卑微到不敢拿出手，他只好攥着玉坠，退到了人群外。

"我真是个笨蛋！无可救药的笨蛋，还是胆小鬼！"回到家，刘禹州拿着那只玉坠，狠狠地对自己说，"你到底怕什么呢？你是怕别人笑话，还是怕林巧儿拒绝？你既然觉得自己配不上她，那干吗一直坚持？你这个蠢货！懦夫！"

他像大部分遭遇打击后的人一样，选择了喝酒，喝得迷迷糊糊时候，他又哈哈大笑着，高声背诵马丁·路德·金的名言：

> 人生来的不平等，造就了世俗王国。
> 有的人生而自由，有的人甘为奴役。
> 有的人傲视万物，有的人俯首称臣。

时间过得飞快，一个崭新的春天又来临了。

刘禹州仍旧按部就班地上班，下班。上班等待着随时而来的业务，穿梭于世界各地，为形形色色的人带去惊喜、欢乐和希望。有时候刘禹州觉得自己很伟大，可以从那些人的眼神中得到一些成就感。可每当走到街上，拥挤的人潮中，眼看着一辆辆汽车从身边飞驰而过，一栋栋高楼大厦透射出万家灯火，商场中来来往往的时尚男女时，刘禹州就陷入到情绪的低谷，感觉到自己只是个普通到去羡慕和嫉妒别人的家伙。

也许是因为忙，这段时间和林巧儿的接触渐渐少了，尤其是最近这一个月，两人连电话也没有通过。究其原因，刘禹州也是知道的。生日聚会之后，他决定发短信跟林巧儿表白。他的想法是：长痛不如短痛。却没想到结果比长痛和短痛都痛苦，林巧儿不置可否的态度让他心里得到了安慰，却又不敢更进一步。

春雨连绵的一天晚上，在一家咖啡厅里，他们终于见面了。林巧儿迎着他的目光，说出了他最不想听到的话："我已经有男朋友了。"说话的时候，林巧儿稍微有些犹豫，微微地低下了头，似乎这个话题过于沉重，以至于她没有办法直视刘禹州。

刘禹州的反应出奇得平静，似乎他早就知道这一天会来，早已做好了准备。尽管这样，他内心的疼痛依旧是如此真切。

"哦。"他只挤出一个字，就没有再说。

"其实跟你在一起，有的时候感觉真的挺好的……不过，你也知道，我家的情况……一直在催。"林巧儿断断续续地说着。她是希望刘禹州可以理解她，又希望刘禹州打断她，匆匆离开。她的思维矛盾而混乱，低头搅动着咖啡，像是在自言自语。

"我知道，我知道。"刘禹州抱着头，看着窗外渐渐开化的湖水。

"这人是我叔叔给我介绍的，在一家证券公司上班。我父母都觉得……都觉得我们可以，我也想——"

"他家里很有钱吗？"刘禹州打断林巧儿问道。同时脑海里急速闪现着那天出现在生日聚会上的每一个男人。

"不，不是钱的问题。"林巧儿有些激动，"真的不是这个问题。你该知道，不是那种事情。我是警察，我热爱我的工作，可我也想过我想要的生活。我也想过，如果我们……我们走到一起，以后会是什么样。我要是坚持，我父母多半也会由着我——上班，下班，攒钱，买房，或者跟我父母挤挤都行；周末了去外边吃吃饭，看看电影，在公园里散散步；一起抚养孩子，就像我父母那样，平平安安过这一辈子。我没想有什么豪宅，也不想要什么奢侈的生活，我不要那些。"

"哈哈，你想得太多了。"刘禹州笑了起来。

"女孩在这样的事情上肯定要比男孩考虑得现实。"林巧儿神情复杂，认真地说，"我只是觉得，我需要另一半能够生活稳定，可以依靠。我希望我们可以相互支持，共同努力，一起去经营我们的生活，去过我们想要的生活。可是你呢？刘禹州，你到底要怎样？你的未来怎么打算？就这样混吗？你有梦想吗？你想一辈子就干这个吗？送快递？你就不多想想怎么去奋斗，去改变？你就不想努力地去选择生活，只是这样被选择？"

"不是我选择了这样的生活，而是这样的生活选择了我。"但是，我跟谁说理去！刘禹州的心里有一只猛兽剧烈地吼叫着，但是即便它把嗓子喊破了，林巧儿也不会听到。

"我感觉你似乎安于现状了，或者说……不思进取，对不起，我不想这么说你。不过你给我的感觉就是这样。你从来不谈论你的工作，似乎那个根本不重要。你也从来不跟我说你未来有什么打算，可能你根本就没想过，或者想了也不愿意跟我说。

"也许你有什么不得已的苦衷，有你自己的秘密，可这些你都不愿意跟我说，不愿意跟我分享，你要我怎么能相信你？相信我们可以一起共创未来？我不在乎你有没有钱，家世怎样，真的。我只是希望找一个能在乎我的人，能够跟我一起好好生活的人。我只想过得简单一点。"林巧儿最后说。

刘禹州懵懵懂懂地回到家，倒在沙发上，盯着天花板发呆。

失败啊，自己的人生太失败了！但我能改变现状吗？我这一辈子几乎都注定了，就是个送快递的。要一辈子背负着这个不可告人的秘密，换了别人也无法接受自己吧。可这一切都不是我造成的啊！

"你说什么？"Q姐抬起头来，狐疑地看着他。

"我是想问问咱公司员工能不能结婚？"刘禹州坐在Q姐对面，精神颓丧地问。

现在才问这个问题，似乎已经晚了。但一想起来，刘禹州又觉得林巧儿说得对，自己确实是有些安于现状，不思进取。碰见困难绕着走，一味地逃避。

起码这种事关自己婚姻大事的问题就该早点问清楚。再怎么样，公司也不能让员工家属也承担这种保密责任吧。

很多事情要是都积极地去做了，说不定会是另一种结果！

可惜现在说再多也没用了。这一切都怪自己，对自己的幸福和未来都不去努力争取，只是在那里怨天尤人，可我到底该是个什么立场？

刘禹州痛恨自己，又觉得无限委屈。

"你咋啦，想找媳妇了？"Q姐饶有兴致地问。

"别提了，刚刚被发了好人卡。"刘禹州闷声闷气地说。

"哦，那真是遗憾。"Q姐的神色看起来一点儿也不像要安慰他的样子，"继续努力，好姑娘多得是。对了，公司人性化管理，当然允许员工婚姻自主，不过……"

"我就知道有这个'不过'！"刘禹州恨恨地想。

"不过，保密原则还是要强调的。咱们的事业，上不可告父母，下不可诉妻儿！"

刘禹州靠在椅子上近乎瘫痪："完蛋了！我要打一辈子光棍了，我的命咋这么苦啊！"

"谁说的？啊？谁说的？"Q姐见不得他那种痞懒相，怒喝道，"你这么好的一个大小伙子，怎么会找不到媳妇？还是要强调你的主观能动性。你别把责任往公司制度上推啊，我警告你！只要你用点心思，一切都会有的。你看人家老黑，啊……当然了，离婚是正常现象，现在国内离婚率高达40%，老黑不过也是赶上了。哦，你看我，我家那口子，跟我三十年风风雨雨，还不是相敬如宾，相濡以沫？我们打算过几年都退休了，就去四处旅游呢。"

Q姐眉飞色舞，一扫往日刻板深沉的老板形象。看得刘禹州眼珠子差点掉下来。

"那个……Q姐，我能问一下，我姐夫，就是你老公，是干啥的？"

"嗨，别提了，那个工作狂，在戈壁滩上搞科研的，我这都好几年没见到他人了。也就是我，换别人早跟他离了。"

"这个绝对是特例，不能参考。"刘禹州无话可说。

Q姐发了一通牢骚，无外乎自家的老公多么不靠谱，结婚三十年一共待在一起的时间不到一年，连孩子都没有留下，这辈子算是奉献给祖国的航天事业了云云。等她说累了，刘禹州点头也点得累了。她这才叹口气，说回正经的："草花七啊，说起来咱们这个工作性质，确实对个人的家庭有些影响。不过，只要你处理得当，还是可以应付得来的。那些从事秘密工作的，不也照样结婚生子嘛，你可以参考参考。"

"我参考？我参考得着吗？"刘禹州憋屈地想。

这时，电话响了——有业务进来。

6

这是一间很普通的民房，位于四川西部的一个山区里。看得出来，这家人生活条件并不好，只有靠墙摆着的一台电视，稍微有点儿现代生活的影子。

一位六十多岁的老大妈，穿着一身蓝布裤褂，包着头巾，应该是少数民族，坐在屋子当中的火塘边上。火塘里，几块半红不黑的焦炭，在一闪一闪地发光。一口大铁锅架在上面，不知道煮着什么。

在木板制成的隔间后面，两个小小的脑袋探出来，偷偷地打量着外屋，一个是十一二岁的女娃，一个是黑色的小狗。

刘禹州站在老大妈跟前，已经拿到了要送的物品——一件黑粗皮袄。

老大妈懦懦地说："真是麻烦你们了，我……我就想给儿子送件皮袄。你们居然真的来了，你们是……是国家派来的吧？"

她说的完全是川西的土话，听得刘禹州连连皱眉。要不是在公司经过系统训练，对各地方言都多少有点儿了解，他肯定听不懂。

手里的皮袄还真有点儿分量，得有十斤吧。再加上潮气浸润，捧在手里，跟个哑铃差不多。人穿着这个能舒服吗？而且，大老远的叫我来，就为了送一件皮袄？拜托，村子里不是有邮递员吗？知不知道我们这个快递是怎么收费的？一半财产啊，大妈！你交给邮递员的话不过几十块而已！

想到这儿，刘禹州就有些为大妈感到不值："大妈，这个委托是没问题，我们肯定达成您的心愿。不过，真的没必要啊，您叫邮递员送一趟，顶多十天半个月就能到，才几十块钱吧。我们这一趟，可是要您一半的财产啊，您可考虑好了。现在取消业务还来得及，您省点钱，让邮递员送吧。"

大妈咧着嘴笑了，用慈祥的声音说："谢谢你呀，孩子，我算过账的，大妈没老糊涂。我就想快点儿送到，我打听了，我们这山里头，邮递员要一个星期才来一趟，路又那么远，送过去又得十天半个月的。耽误不得啊，我儿子急等着用呢。"

"这个……"刘禹州不能再劝阻了，客户的想法就是客户的想法，自己只是为客户服务的，刚才的劝阻实际上已经是超出他业务守则之外的行为了。

"那好吧，您说地址。我保证在一个小时内送到。"刘禹州信誓旦旦地说。

"娃子，不要说大话，"大妈不相信地看着他说，"那地方很难走的。"

"没问题，请您相信专业人士。"刘禹州神情坚毅，这样更能博得客户的信任——业务手册上是这么说的。

半个小时以后，刘禹州出现在了中印边界，喜马拉雅山脉的一个险峻峡谷里。

"这是什么地方，是人待的吗？"他背过脸，躲过一股又一股的寒风，哆哆嗦嗦地抱紧了手中的信封。要不是纪律约束，他真想掏出皮袄穿上，这鬼地方实在是太冷了。

他万万没想到，那位老大妈在意念中给出的坐标，居然把他传送到了这样一个地方。她儿子会在这里？方圆百里都没有生物存在啊！他儿子是干吗的？是探险家还是登山运动员？

历尽艰辛，刘禹州终于在一个山崖下发现了一顶绿色的帐篷。尽管这次传送只偏离了目标位置几百米，但在这冰天雪地里，简直遥远得要命啊。幸亏他这一段时间训练得还不错，再加上强力装备，这才能顶着风雪走了两个小时，然后发现了帐篷。想想自己"保证在一个小时内送到"的大话，刘禹州脸上不免有点儿发红。不过，在这种站不直、走不稳，连眼睛都睁不开的地方，也是在允许的误差范围内吧。

"呼呼呼……"漫天的风雪又加大了，人的眼睛根本无法睁开。刘禹州凭着刚才的记忆，颤颤巍巍地摸索到了帐篷外。喘了几口气，他大声叫喊道："人生快递……咳咳咳咳！"一口寒风夹杂着冰碴灌进他嘴里，从里到外的一阵恶寒。

他有用手拍打着帐篷，可是没有人回应他。费了半天周折，刘禹州终于掀开了帐篷的门帘。

小小的帐篷里并排躺着两个包裹在睡袋里的人，在他们脚下有一个小小的石块垒砌的火塘，火塘里的火早已熄灭。帐篷里虽然没有了迎面而来的大风，但他依旧冻得瑟瑟发抖，他看见自己的胡碴上已经结冰了。从军绿色的帐篷、睡袋，以及立在帐篷一角的两支步枪来判断，躺着的两个人是中国的边防军。

刘禹州上前，伸手试探了一下，还好，都还有呼吸。

他迅速升起了火堆，火苗蹿升起来，让帐篷里冰冷的空间渐渐转暖。两位边防战士也渐渐地苏醒过来，刘禹州为他们倒了温水，两个人终于可以坐起来了。

做这些的这时候，刘禹州又开始感慨自己的工作是多么地伟大而与众不同。他的这些设备就像一只魔法口袋，里面有各种需要的工具；而自己平时的学习和锻炼正是为了更好地掌握和使用这些工具。尽管他现在的行为已经超出业务手册的规定，但是这也有漏洞可寻——不做这些，怎么让收货人醒过来；收货人不能醒过来，怎么签字确认？

再说了，面对坚守在这么恶劣的环境里的边防战士，自己怎可能还顾忌那些条条框框呢？他手脚麻利地将两位战士扶起来，让他们慢慢地清醒过来。

"谢谢……"一位年纪稍大的男人嘶哑着嗓子向刘禹州道谢。

刘禹州坐在他对面，往火塘里添了一块固体燃料，把火弄旺些，说："不客气。你好点儿了吗？"

"好多了。真是幸亏有你来，不然我们就冻死在这里了。没想到会突然碰上这场风雪。对了，你是怎么到这里来的？你是中国人吗？"

那中年战士警惕地看着刘禹州。一旦恢复了思考能力，他第一时间就警觉起来。

刘禹州摆摆手，示意他放松："我是中国人。放心，我没有什么企图，我只是个……只是个送快递的。"

"送……快递？"中年战士眨眨眼，怀疑自己听错了，然后转头看了看自己的战友。那个年轻战士也是一脸的错愕，手也不禁向立在身边的步枪伸过去。

"请问您是单吉曾措吗？"刘禹州按照操作规范问道。

中年战士黑红的脸膛上，流露出几分惊骇，没想到这个奇怪的年轻人竟然叫出了自己的名字。

"我是。"他下意识地回答。

"这里有你的快递，请你签收。"刘禹州递上信封和银色的笔。

"我？给我的快递？"单吉曾措吃了一惊。"快递"这词他听说过，也在网上了解过，但这辈子他还从来没有接触过。那个年轻战士也激动地看着信封，然后用眼神催促单吉曾措快点打开。

在这个雪域高原上，别说快递，连邮递都是一个月才来一回，还只能到五百公里外的兵站，再等着补给车抽空捎过来。三五个月见不到外界的东西那是常事。

单吉曾措接过来信封，仔细看了看，问："这个……这是谁给我寄的？"

"是你的母亲，"刘禹州感慨地说，"你伟大的母亲。要不是她告诉我你在这个位置，我真是找不到。"

"我阿妈？"单吉曾措脸上露出一丝难以置信的神色，"我阿妈怎么会……怎么会找到我的？她怎么知道我在这里？我们在这个地方迷路已经两天了，都是这该死的暴风雪。连我自己都不知道我们现在在哪儿。"

刘禹州真诚地看着他，说："这就是母爱的伟大吧……她说是做梦梦到你的，梦见你在这里挨冻受饿。她就祈求佛祖保佑，顺便也触发了我们的业务电话。快签字吧，你只要知道，这是你母亲的指派就够了。"

"阿妈……"单吉曾措咬紧了嘴唇，刚强的脸上滚落下两行泪水。他赶紧擦擦眼泪，挤出一丝微笑，冲着刘禹州用双手将信封平举过头顶，这是藏人的致意礼节。然后，他撕开了信封——

信封化作一团白光消失不见。一件黑粗布，沉甸甸的皮袄落在单吉曾措的手中。

"这是……是我阿妈给我做的皮袄！"单吉曾措看着皮袄，眼泪再次止不住地流下来。

"这是世界上最保暖的衣服，生活在高原上的人们是离不开它的。"年轻的战士摸着皮袄说道。

"好了，我的任务完成了。"刘禹州起身准备使用灵法笔消除他们的记忆，然后返回。

"那个……"单吉曾措抬起头说，"还不知道你的名字。太感谢你了，你就像雪山上翱翔的金翅鸟，给我们带来了吉祥如意。"

刘禹州被这个形容搞得有些脸红，轻咳一声说："我们是人生快递！其实你要感谢的人只有你的母亲。"顿了顿，他又说道，"我也要感谢她，起码是她让我觉得我的这份工作还有点意义。再见！"

灵法笔一挥，刘禹州很快从帐篷里消失了。

与以往的业务程序不同，这次刘禹州没有选择返回公司，而是再次来到了那个老阿妈所在的屋子。

火塘里的炭火，烧得比第一次来的时候旺了一些，屋子里充满了烟气。老阿妈端坐在火塘边，静静地熬着酥油茶。木板隔间后面，依然探出两个小脑袋，他们好奇地打探着刘禹州。

"大妈，您的委托我已经送到了。"刘禹州站在火塘对面，对老阿妈毕恭毕敬地说。

老阿妈刻满皱纹的脸上浮出开心的笑容："我知道了。"她把手里的勺子放下，回头对里屋招呼道，"达瓦梅朵，出来谢谢这位好心的叔叔，他给你父亲带去了及时的帮助。愿佛祖赐福他。"

那个叫达瓦梅朵的小姑娘怯生生地走了出来，身边的小黑狗顺从地跟着。

达瓦梅朵的眼睛乌黑发亮，长得很机灵，浓重的"高原红"让她的脸蛋如同两个红红的苹果。她走到火塘边，用银碗盛起一碗酥油茶，双手高举，捧到刘禹州的面前，说："好心的叔叔，达瓦梅朵谢谢您……"

刘禹州赶紧按照藏人礼节伸手接过银碗，敬过天地，放在嘴边轻轻地啜饮一口。热腾腾的酥油茶，顿时让他浑身一暖。他把银碗放在火塘边，冲着达瓦梅朵笑笑，再对老阿妈微微一鞠躬，转身离去。随着他的离去，那神秘的契约力量开始启动，迅速让这一老一少忘记今天所发生的一切。直到刘禹州的身影消失不见，她们才回过神来，不明所以地看着地上那个多出来的银碗。小黑狗则冲出门外，汪汪叫了几声，声音在空旷的田野里回荡着，传向远方。

在遥远的雪域高原上，边境哨所的驻军，在一张神秘的纸条指引下终于找到了失踪三天的单吉曾措和他的战友。他们是给山下的牧民老乡送药去的，结果归途中遇到白毛风，就此失踪。

带队的连长这三天急得满嘴角燎泡，当发现山崖下那个小小的帐篷时，他第一个就冲了进去。只见帐篷里，单吉曾措和那个小战士搂抱在一起，裹着两层睡袋，外边还裹着一件厚厚的老羊皮袄。见到连长，单吉曾措咧开干枯的嘴唇勉强一笑，就昏了过去。

要不是这件羊皮袄，他们撑不到现在。这件羊皮袄不光是御寒的工具，更是满满的爱，是让他们坚持下去的力量。

7

刘禹州把苏苏从孤儿院接出来，陪她过周末。

苏苏很诧异地比画着询问，为什么最近都不见小林阿姨？

刘禹州苦笑："小林阿姨忙，过一段时间会来看你。"

苏苏大眼睛一眨一眨地看着刘禹州，又比画着问，是不是你们两个吵架了？

刘禹州这才想起来，苏苏似乎是跟自己有某种灵魂联系，可以感觉到自己所经历的事情。他摸摸苏苏的小辫子，叹着气说："苏苏啊，这些事你不懂，就别问了，好吧？"

苏苏皱皱眉，懂事地点点头，又兴高采烈地拿出自己的大画本向刘禹州展示自己的新作品。

这些画的内容跟以往差不多，只不过在天空中都多了一个小人，那是梳着小辫的苏苏。

"嘿嘿，苏苏画得真好！"刘禹州夸赞着苏苏的绘画技巧，"你把叔叔的样子画得越来越像啦！"

忽然手机响起，是Q姐的召唤，有突发业务。刘禹州只好跟苏苏抱歉地告别，返回公司。

这一段时间，晚上的业务不多，那些委托人似乎也懂得要让人生快递的工作人员有个休息的时间。

苏苏的几句话让刘禹州非常想念林巧儿，但一想到林巧儿跟自己说的那番话，他又有种莫名的焦躁感。

"你的梦想是什么？你这一辈子想干什么？你到底要怎样活着？难道就这样做一个送快递的？"这些掷地有声的质问让他心神不宁，进而对一切产生了质疑：我为此付出一生是否值得？即便我帮助了很多人，也给我带来过助人为乐的满足感，但这些能抵挡得了回家后冷清清的小屋、冰凉凉的床榻所产生的悲凉情绪的侵袭吗？

"我不是圣人，"刘禹州这样对自己说，"我也不想当圣人！"

一家珠宝店外，已经拉起了警戒线，几名先赶到的警察紧张地维持着秩序。将跑来围观的群众挡住。一辆警车拉着警报急速抵达现场，派出所的马所长不等车停稳就匆匆跳下，一个警察赶上前敬礼，被他不耐烦地打断："赶紧说情况，怎么回事？"

眼瞅着这个月底就到了，辖区里出来这么一档子事，治安良好的评比算是泡汤了，也怨不得他心烦。

"二十分钟前，110接警，说这里发生抢劫案。在指挥中心调派下，我们几个附近巡逻的弟兄第一时间赶到现场。已经接触了报案人，就是这家珠宝店的保安。据他说，有一名男子持刀在店里抢劫了几件珠宝，而且还挟持了人质。好在持刀男子已经被他们堵在店里了。"

"挟持人质？"马所头都大了，最怕的就是这种案子了。他定了定神，问道，"案犯的具体位置在哪里，人质的身份搞清没有？"

"在店里头的一间办公室里，人质也在里面，是本店的经理宋炜，女性，现年三十岁。"警察快速介绍道。说到这儿，他迟疑了一会儿，才接着说道，"另外，据说里面还有一个我们的同事。"

"我们的同事？谁？"马所长奇怪地问。

"据目击者描述，和我们的初步判断，是林巧儿。"

"怎么回事？小林怎么会在这里？她今天不是休假吗？"马所闻言大惊。

"我也不知道。"警察连忙撇清责任，"我们没跟她在一块儿，是她自己单独行动的。好像……好像她是顺路来这里的，在我们赶来之前她就在了。具体的情况得问问当时店里的目击者。"

马所怒火攻心，吼叫一声："那还不赶紧的，把保安给我找来，我自己问。另外，分局的人什么时候到？"

"已经上报了，处突小组正在赶来的路上。"警察一溜烟地小跑，去找珠宝店的保安。

情况很快就了解清楚了。林巧儿今天是休假，不过她惦记着前些天在这附近发生的不良少年偷车案，就主动跑来这里，找一些店主了解情况。没想到，正巧碰上在珠宝店里发生的抢劫案。那个抢劫犯看到她，还以为警察及时赶到了，就立刻放弃了外逃，转而劫持人质钻进了一间办公室。林巧儿也义无反顾地跟了进去，现在，那小办公室里的具体的情况还不了解。

"真该死！"马所长脸色阴沉，一肚子的火。除了担心人质的安危外，他还生怕林巧儿有什么意外，不然实在不好向她的叔叔交代啊。

此刻，在那间办公室里，小林面对着持刀的歹徒，正努力地做着劝说工作。

持刀的抢劫犯缩在一个墙角，身侧是一个高大的铁皮文件柜。这间办公室平常也当作仓库来用，因此是没有窗户的密室，通往外界的唯一通道就是天花板上的一个小小的换气窗了。男子的身前，是已经被吓傻了的女经理宋炜，宋炜一脸的恐惧，头发乱了、妆容花了，一脸狼狈，她的脖子上架着一把寒光闪闪的西瓜刀。

这个抢劫犯二十几岁的样子，苍白的脸上泛着不健康的青灰色，眼睛里布满了血丝，眼圈发黑，似乎几天几夜没睡了。

他的衣着打扮倒还不错，很干净，一件高档防寒服，脖子上套着一条红黑格的围巾，下身是一条黑色灯芯绒休闲裤，脚上蹬着一双棕色的休闲皮鞋。若非如此，他也不会让店员们放松警惕的，所有人都以为他是来购买东西的客户，热情地给他推荐这个介绍那个的。

他提出要看看钻戒，并且一眼就相中了那个摆在最显眼位置的，号称是镇店之宝的，价值三十万的非洲粉钻。店员也真的就拿出来给他看了。没想到他一把抄起钻戒就要跑。保安反应及时，上前封堵，但是被他拿出的一把长长的西瓜刀逼退。就在他要跑出店门的时候，一身警服的林巧儿恰巧从外边进来。劫犯以为警察赶到了，于是放弃了外逃，转而向里面跑，还顺手拉过一个人质挡在身前。这个人质，就是听见动静跑出来看情况的经理宋炜。

宋炜现在脑子里一片空白，连后悔的念头都没有，完全不知道自己该怎么办。她怔怔地看着眼前这个漂亮的女警官。她想起来了，这个警官经常在这一带巡逻办案，记得上次来店里，还聊了几句，后来听说此人很有来头，追求者一大堆……宋炜都不知道自己怎么能在这种时候还想到这些乱七八糟的事儿。

林巧儿努力平复着呼吸，她早已经动手为自己搜身，证明自己并未携带武器，不会有任何威胁。这才使抢劫的小伙子镇定了一些。

"我没有恶意，只想跟你谈谈。你这是无谓的抵抗，现在释放人质跟我去自首还来得及。你看，你虽然抢劫了，但是未遂，能把物品全部归还；你劫持了人质，但是人质也没有受伤，你现在放了她，相信她也不会追究你的责任。你这个时候放下武器，主动自首，组织上是会对你宽大处理，从轻处罚的。而你要还是劫持人质，继续负隅顽抗，那这个性质就恶劣了。你想想电视里演的，哪个劫持人质的会有好下场？

"你跟我差不多大吧，才二十几岁，日子还长着呢，何必这样走上绝路？听我劝——"

"你闭嘴！"青年冷冰冰地扔过来一句，"道理我都知道，不用你教我。"青年眼神如狼，手中刀光如冰，由于紧张和害怕，看起来似乎正在失去理智。

"我也不想这样。不过你们不要逼我！"他用刀在宋炜的脖子上摆了摆，后者吓得惊叫起来。

"闭嘴，闭嘴！"青年也受不了宋炜那种极具穿透力的嗓音，用刀把重重地在她脖子上一磕，宋炜立刻收声，然后呜呜咽咽地哭了起来。

"好好好，你不要激动，不要激动。"林巧儿有些心惊肉跳，这种场面她也是第一次面对，学校里学的那些东西似乎在一瞬间清零，偶尔书本里的各种应对措施又一起出现，都不知道该用哪一招好。

"我知道我逃不掉了。"青年慢慢冷静下来，说，"我走错了路，这没办法。本来，我只是想买一个钻戒，就是一个钻戒。现在可好，哈哈。"他苦笑了几声。

林巧儿目测着她和青年的距离，准备上前夺刀，解救人质。因为她发现宋炜一直用双手小心地抚摸着肚子——她是个孕妇，得尽快解救。于是她一点点地向前挪动，同时稳定着小青年的情绪："买钻戒？可你没给钱不是？你还拿着刀来的，从一开始你就是想抢劫吧？不要给自己开脱，大家都是成年人，得有点儿担当。"

"我是想买的，我是想买！我不想犯罪。"小青年嚷嚷起来，神情激动地说，"等我有了钱，我会还给他们的，真的，我真的是这么想。我是有急用，这个钻戒对我来说很重要。"

那边正说着，宋炜盯着前方的地面，突然低声叫了起来。没等青年反应过来，"咚"的一声，林巧儿摔倒在了地上。原来她不小心踩到了一只掉落在地上的铅笔。

"你！退后，退后，不然我动手了！我要杀人，我要杀人了！"青年识破了林巧儿的小动作，疯狂地吼叫起来，手上的西瓜刀也在宋炜的脖子上来回比画。

"好好，别激动，别激动，我退后……"林巧儿暗叹一声，慢慢地退回原地。

"我警告你啊，你不要耍花样，我真的会杀人的！"青年咆哮着。

这个时候，宋炜身子一软，向下滑去。青年左手夹着她的腰，吼叫道："站好！你给我站好！"说着他举起了刀。

小林一看他的眼神，知道他是真的陷入疯狂了，有可能来真的了，赶紧开口："不要，千万不要。你放了她，我来做你的人质！"

"嗯？"青年扬起的手停在半空中，抬头看向林巧儿，一脸的不解。

林巧儿赶快说着自己的意思，生怕晚了这个家伙会动手："你看她，身体确实不行了，你这样会出人命的，你也不想这样吧。你就是想要个人质来确保你的安全，我来当你的人质好了。你放心，我一定配合你，你有什么条件都可以谈。"

那个青年狐疑地看着小林，再看看一脸苍白、有气无力、站都站不稳的宋炜。

"你想干什么？"他问。

"我不想干什么，真的，我就是想把事情早点解决，不要闹出大乱子。这样对你我都好。你知道这里是我的辖区，我也不想出什么大事。"

青年手中的刀慢慢落下，放在了宋炜的肩膀上。宋炜连哭的力气都没有了，要不是被人搂抱着，她真的就软瘫在地上了。

这时候，宋炜突然放声哭出声来，并低声哀求道："你……你放了我，好不好？我有三个月的身孕了，求求你了……"

"喂，你有点人性的话，就听我的，我来当人质。你把她放了。你听到没有？她有孩子了。"林巧儿冲着那个青年吼叫，一时间似乎忘了自己是在跟一个劫持犯谈判。

青年手稍微松了一松，沉默了几秒钟，抬起头望向林巧儿，咬牙说道："你带着手铐是吧？把自己铐在那边的暖气上，快点！"

林巧儿拿出手铐晃了晃，说："你放心，我一定按照你的要求办，不过你得先放了她。"

"少说废话，快点！"青年突然暴躁起来，狠狠地吼了一嗓子。

"好好，我这就动手。"小林往旁边挪了几步，用手铐把自己的右手铐在暖气管上，说，"这样好了吧，你放人。"

青年嘿嘿一笑："还真有你这样不怕死的啊。行，人民警察为人民，我佩服你，我放人。"他一把揪住宋炜的衣领顶在自己身前，推着她向门口走去，边走边说，"去告诉外边的人，叫他们给我找人，找一个叫王美丽的女孩，让她到这里来，就说是卢子川在这里等她，听清楚没有？"

"听……听清楚了，我听清楚了。"宋炜哆哆嗦嗦地回答着，她瞟了一眼铐在暖气管上的林巧儿，感激地点了点头。

门口至少有十个荷枪实弹的特警在待命。

当门一开，所有人都下意识地举起了枪。只见一个女人一步步地从门里走出来，一瘸一拐的，刚一出门，那扇厚重的防盗门就"砰"的一声关上了，宋炜一个踉跄向前栽倒。两边的特警手疾眼快，迅速将她搀扶住，送上了救护车。

时间一分一秒地过去。

林巧儿暗暗后悔自己给自己铐的这个地方，站着嫌矮，蹲着嫌高，实在是不怎么样。钥匙已经交给那个青年，就放在她身前的桌子上，但那也是自己够不到的地方。林巧儿感觉被人戏弄了，心里一阵怒火。不过自己现在这样，要想和一个手拿西瓜刀的凶徒搏斗，有点不太现实。

她一直想和这个青年说话，想说服他投降，可这个家伙阴沉着脸坐在一边的椅子上，根本不搭话，让她十分的郁闷。根据她的分析，这个青年多半受过良好的教育，不像那种惯犯，应该是可以通过劝说让他自首的。但同时这个家伙头脑清楚，思维敏捷，做事的目的性极强，属于那种心志坚定的人，自己准备的一套说辞他根本就听不进去。

怎么办呢？小林有些苦恼。

"叮铃铃……"桌子上的电话响起。

那个青年想都没想，一把抄起电话，冷静地说："有什么事？说吧。"

电话那头传来一个浑厚的男声："你是卢子川？我是这里的负责人——"

"没错，你们调查清楚了吧。我要找的人呢，在哪儿？"卢子川打断了警方的话，激动地问道。

"很遗憾，你要找的人来不了。"

"你们没找到？我说得够清楚了吧？"卢子川有些愤怒。

"不，不，你听我说，我们找到了那位王美丽小姐，她好像是你以前的恋人？"

"什么是以前？现在，未来，她都是我的，是我的老婆！"卢子川恶狠狠地说。

"嗯……不过王美丽大概不这么想了。她不愿意来见你。她现在也不在本市。"

"她不愿意来？哦，嗯嗯，我知道了。"卢子川忽然又冷静了下来，似乎早有预料，苦笑了两声就放下了电话，全不顾电话那头焦急的喊话。

林巧儿半蹲着身体，莫名其妙地看着卢子川。

"看什么？"卢子川突然一阵戾气上涌，一跨步就冲向林巧儿，用刀指着她的脸说，"再看，再看我就花了你！"

林巧儿冷笑道："怎么？被女人甩了拿我撒气？你这个男人也做得太失败了吧。"

"你……你胡说八道！什么被女人甩，我们是要白头到老，我们有发过誓的。只不过是个小误会，哈哈，一点点小误会。"

林巧儿看着他，神情中饱含着同情和惋惜："误会？你蒙谁呢？你马上就要进监狱啃窝头了知道吗？你的'误会'不仅解决不了，而且会害你一辈子的！你清醒点儿，自首吧！"

"唉……她呀，就这个小姐脾气。"卢子川神情呆滞，自言自语地说，"不就是个钻戒吗？我没说不给买啊，就是缓两天的事情。她就生气了，还跑了，连电话都不接……啊！我忘了，我忘了，刚才我该问你那个同事要一下她的新电话号码的。快，你快告诉我刚才那个打电话的人是谁啊，你告诉我，我找他问问。"卢子川激动地说着，眼泪却不由自主地掉落下来。他从兜里掏出那枚粉钻来，举在眼前入神地看着。那颗璀璨的 7 克拉粉钻，在灯光下闪烁着迷人的七彩光。

"王美丽，你不是说，有了钻戒咱们就能结婚的吗？你为什么不等我？都说好了的。我知道我穷，我知道你等不起，你想过好日子，我一直在努力啊。我已经很拼命地在工作了，我还找了晚上的兼职！就算这样，我想攒够买钻戒的钱还是很困难，不过我可以想别的办法啊，你瞧，我现在有了钻戒，我有了钻戒。你要的一切我都会满足你。你答应我的，你答应我的！你一定会嫁给我！我们要白头偕老！我们从三年前就说好的……谁能帮帮我，帮我把这个钻戒送给她！我愿意付出任何代价，只要现在，立刻！"卢子川像是疯癫了一样，在屋子里又哭又笑，又跳又叫。

"这是……"突然，屋子里的一切声音戛然而止，卢子川闭着眼睛静静地站着，他似乎在梦里，但又不是，他清晰地看见了一串电话号码。很快，他的脑海里就出现了一个优雅的女声："你好，人生快递……"

林巧儿看他如痴如呆的样子，以为他犯了什么病，大声问道："喂，卢子川，你没事吧？你怎么了？要不要我帮你叫个医生来看看，咱们赶紧去医院吧。你听我劝，你的人生道路还漫长着呢，有什么事都不要走极端，对不对？你有你自己的路，有你自己的人生，为了一个女人你搭进去这一生不值得……"恍惚间，她仿佛看到了刘禹州的笑脸。她心里一惊，顺口说道，"你看看人家，刘禹州你看看人家。虽然犯罪是不对的，但是人家对待感情是多么真诚……"

刘禹州从传送门中跨越出来，习惯性地念叨起来："您好，人生快递，请问有什么可以效劳……怎么是你？"

他一眼看到了铐在暖气管上的林巧儿，以至于完全忽视了自己真正的客户。

林巧儿盯着突然出现的刘禹州，看着他那一身奇特的行头，看着他那张同样惊讶的脸，一点点，一点点地睁大了眼睛，张大了嘴巴，然后发出一声尖叫！这个和职业无关，和心理素质无关，和什么什么都无关，她就是觉得必须得这样，才能够表达自己的情绪。

"你怎么会在这里？"两个人一起发问。

"我是在执行任务……"两个人又一起回答。

"喂喂，你……你们这是……我才是客户好不好！"卢子川忍不住插言道，"是我叫你来的，嗨嗨，那个谁，看这边，是我叫你来的。"

刘禹州总算还有点职业素质，忍住满心的激动和欣喜，转头看着自己的客户说："赶紧说，我赶时间。"

卢子川也被惊呆了，他彻底搞不清楚刚才是梦还是现在是梦，伸手碰了碰刘禹州，说："请问，你……你是怎么进来的？"

"与业务无关的问题，我有权不回答。请问您要送的东西在哪里，要我送到哪里去？"刘禹州熟练地说道。

卢子川掏出戒指，递给刘禹州，说："我也不知道她在哪里……请一定帮我送到。"他的目光完全不在戒指上，而是从上往下，从下到上，反复打量着刘禹州。

"就送这个？没问题。"刘禹州麻利地办好各项手续，把钻戒装进信封。

林巧儿在那一瞬间，明白了许多事情。原来，苏苏画上的东西是真的。刘禹州的工作真的是那么神奇，但是他一直隐藏这个秘密，没有告诉自己。这样的工作确实很令人震惊，即便告诉了自己，自己也不相信，是自己误会了他，以为他不思进取，以为他不求上进，都是自己的错。她望着刘禹州，一时有些走神了。

刘禹州转头看到林巧儿惊呆了的表情心头暗爽，这下你明白了吧？震惊了吧？知错了吧？不是我没有追求，更别说我虚度人生，我的人生使命是急别人所急，是真正的为人民服务。

他收起信封，冲委托人和蔼地一笑，打算和林巧儿说上几句。当然了，这次谈话以什么样的态度进行，他已经想好了，自己不能表现得很卑微，也不能太惊讶，更不能表现出"你知错了吧，不过我已经原谅你了"的样子，而是要轻描淡写地打声招呼。

刘禹州伸手入怀，摸到一直带在身边的那只玉坠，这个时候再送上迟来的生日礼物，这份礼物的意义一定会很不一般，这次偶遇也就功德圆满了。正在他暗暗惊喜的时候，突然想起了公司《作业手册》上特别注明的一点——"业务过程中有不相关第三者，必须确保公司的秘密不被泄露，应采取相应措施，使用灵法笔消除其相关记忆。"

小林应该也算是第三者，所以她的记忆必须被消除。也就是说，这次完美的意外相遇即将归零，林巧儿还是不会知道自己的秘密，也不会明白自己的苦衷。

刘禹州感到心头一震，如同万丈高楼一脚蹬空，扬子江心断缆崩舟。他愤怒，他抓狂，他哭笑不得："为什么总是这样？我想掌握自己的人生就那么难吗？还是命运在跟我开玩笑？我该怎么做？"他看着手里的信封，再看看林巧儿那张充满温情的笑脸，那是包含了歉意、信任、期盼、希望的笑容。

刘禹州掏出了手机，手机振动不停，屏幕上面不断地显示出信息——"侦测到可视范围内，存在与业务无关者，提醒机主进行清场。"

我如果不执行这条可不可以？刘禹州试探着取消提醒。

手机里马上显示出一段文字：在个人利益和公司利益之间，你优先选择了个人利益，这很遗憾。不过，公司的秘密必须被保护，清场指令将被强制执行，由此造成受术人大脑不可逆之伤害，公司不承担任何责任。

刘禹州恼羞成怒，抬手就要把手机扔出去，在那一刻，无数的打破现状，退出公司的念头在他心头奔涌而过，却都如滔滔江水消逝无踪。他将扬起的手臂放下，用力地对着墙打了一拳。

林巧儿和卢子川不知所以地看着他直愣神。

愣怔了大概有一分钟，刘禹州无奈地叹口气，下了决心。

"也许今天我就不该来。"他冲着林巧儿微微一笑，伸手从怀中拿出玉坠，将它放在了林巧儿的手心里。跟玉坠一起攥在手心里的，还有她手铐上的钥匙。

刘禹州起身，慢慢地举起灵法笔，轻轻地按下清除按钮，然后很快消失了。

几秒钟后，林巧儿茫然地回过神来，惊讶地看到了手里的东西，她顾不上思考它们是怎么出现的。而离她不远处的卢子川似乎陷入了一种迷幻、呆滞的状态，她将钥匙轻轻地插入了锁孔……

后面的一切就简单了。当小林成功地把卢子川押解出门交给其他同事之后，她立马被等候的记者包围了，面对各种各样的问题，她的脑袋里空荡荡的。她也不知道手铐的钥匙到底是怎么到自己手里的，而那只玉坠又是怎么回事？

她有些慌乱，用模棱两可的话应付着采访。然后借口身体不舒服，躲过了记者和领导，飞似的逃回了家。

与此同时，遥远的青岛海滨，一家豪华酒店的房间里。刘禹州在王美丽的身前站定，递上那份快递。他听见浴室里传来哗哗的流水声和一个老男人愉快的歌唱声。

王美丽打开信封，有些诧异地看着那枚钻戒。她噘着嘴，举着钻戒看了半天，脸色通红地对刘禹州说："你们……你们人生快递公司可以帮我退货吗？"

"退货？什么意思？你以为这是网购吗？"刘禹州疑惑地看着这个长相不错的姑娘。

"把这个还给他吧，我……我不需要了。"王美丽把钻戒递给刘禹州，淡淡地说，"告诉他——"

刘禹州不等她说完，就摇摇头转身离去。临出门，他又停下脚说："那是你们自己的事情，我的任务已经完成。你要想把它送回去，请先触发我们的业务联络机制，再见。"

这几天刘禹州一直在等待 Q 姐的召唤和处分通知，他自己清楚，将手铐的钥匙放在林巧儿手里是不符合公司规定的行为。他干预了现实中的事件进程，改变了委托人的境遇。如果他不把钥匙交给林巧儿，也许卢子川最后会主动投降，在监狱里待上几年；也许会负隅顽抗，最终被特警当场击毙，总之不是现在这个结果。他已经做好思想准备，等着被 Q 姐教训，再次接受处罚。

自己受处分相比于让林巧儿的生命受到威胁能算得了什么啊。就算小林没有了记忆，不知道是他干的那又怎样？只要她过得好自己就心满意足了……刘禹州无聊地想。

林巧儿没有留下当时的记忆，不能让两人之间的误会消除，这是个遗憾，不过刘禹州也完全想开了：得之我幸，不得我命，把两人的命运交织寄托在这种不靠谱的偶然事件上，还因此而凄凄惨惨戚戚，那不是我的性格。假如当时不是林巧儿，而是别的警察，我还会那么做吗？刘禹州自己也不知道。

他又想到那枚钻戒，闪烁着七彩光芒的钻戒。卢子川就是为了它才走上了不归路。而最终的结果，却是他根本没有想到的。不，其实这个可怜人已经想到了，他只不过是为了自己的臆想而疯狂了一把。

可怜之人必有可恨之处。他选择了抢劫，咎由自取，更何况在抢劫的过程中他还伤害到了别人。那天宋炜在被送往医院的路上，不幸流产了，一个未出世的小生命就这么无声无息地消失。等待卢子川的惩罚将更加严厉。

抛开这些不说，单说卢子川为了自己那可悲的爱情，还真是无所不用其极，真是什么都能做出来啊。刘禹州设身处地地换位思考着，觉得自己怎么也做不了这样的事情，就像现实中他的选择一样。

"我是个懦弱的人。那个时候，我就应该把手机往地上一摔，一了百了。"刘禹州又开始了这样的设想，紧跟着的是绵绵不断的后悔。

就这样，在百感交集中，时间悄悄地流逝，又到了夏天。

第四章

职场逃亡

　　"到底他是怎么做到的？"负责调查这件爆炸案的 FBI 高级探员和当地警方联合成立破案小组。小组特别邀请了一直在追踪蜀山先生的 FBI 探员老汤姆的儿子小汤姆参加。这个同样是 FBI 成员的年轻人发誓要把涉嫌杀害自己父亲的凶手绳之以法。

1

从传送门中走出，刘禹州观察了一下四周，判定自己所处的位置，没错，这次传送几乎没有误差，委托人就在离他几步之遥的屋子里。

这是华北某地的一个煤矿附近。初夏的夜晚，在这个北方山区还是有些凉意的。家属区的院子外，几个穿着警服的人在那里巡逻。已经夜里十一点，正常情况下，应该是大部分家庭都入睡的时间，但今天似乎情况特殊，很多户人家都还亮着灯。

按照手机上的提示，刘禹州小心地在院子里穿行，避开那些巡逻队，钻进一栋楼内。

他伸手敲响了房门。

"谁？"屋里响起了一个中年女子疲惫和警觉的声音。

"人生快递。"刘禹州字正腔圆地回答道。

"啊！这是真的……"女人惊呼一声，迅速打开了房门。

一个穿着朴素的中年女人出现在门前，她的脸盘很大，眼泪在脸上留下了一道道的痕迹，脸色苍白，看上去非常憔悴。

"快请进，快请进。真有人生快递，我还以为是幻觉……"

刘禹州进了门，面无表情地问："请问您有什么委托？"

"妈妈！"从里屋跑出来一个十岁左右的男孩，扑到女人的身边，拉着她的衣袖，很警惕地看着刘禹州。

那女人有些手足无措，慌乱地说："小辉你回屋去，快回屋去！"

那男孩倔强地昂着头说："我不，我要等爸爸。妈妈他是谁啊？"

"他，这个叔叔是……是……"女人不知道该怎么说才好。

"我是送快递的。"刘禹州简单回答道，继续问这个女人，"请问您有什么委托？"

"委托？哦……我有，我有。"女人说，"我想请你送件东西……你要不要先喝点水？我去拿，我去拿。"

"好的，好的。小辉你快回屋去。"女子拖着小男孩的手往里屋拉。

"不，不嘛，我要等爸爸，我要等爸爸！"男孩死活不肯回去，扭动着身体，不时用眼睛瞟着面带微笑的刘禹州。

实在没办法，女人只好抱歉地冲刘禹州笑笑，扔下男孩不管，自己进里屋去拿东西了。

看得出来，这个家庭的生活质量还算可以。客厅里的家具都是八成新，各种家电也是应有尽有。小男孩躲在沙发后，露出半个脑袋，打量着刘禹州，突然冒出一句："叔叔，你是要去救我爸爸的吗？"

刘禹州奇怪地看着他。

"你是救援队的吗？是去救我爸爸的吗？"小男孩把头从沙发后面探出来又问了一遍。

"救援队？"刘禹州不解地挑挑眼眉，摇摇头说，"不，我是送快递的。"

"啊？！不是……"男孩满脸的失望。

"乖，小辉。这个叔叔不是救援队的，矿上有救援队，早就下井了，你快回屋睡觉去。"女人匆匆走出来，手里提着一个盒子。

"我不去！"

"你去，睡觉去！"女人终于爆发了，她的呵斥声把男孩吓了一跳，不敢再说话，倒退着回了里屋，然后重重地把门关上了。

那女人小心翼翼地把盒子放在茶几上打开，里面是一盏黄铜制作的矿灯。

她把矿灯提起来，说道："这个就是我想请你帮我送的东西。我想请你把这个灯送到我爱人手上。"

刘禹州心底掠过些许不妙的感觉，轻声说道："没问题。请问您的爱人呢？"

"唉！今天下午矿上发生了事故，他们……他们那一班工人都被埋在井下了，可是我什么忙都帮不上。地下黑，这盏灯多少能给他照个亮……他能平平安安地回来……我们一家老小都等着他……"女人摩挲着铜质的矿灯，啜泣起来，"这盏灯是我爱人的父亲留下来的，当年曾经救过他的命，是我们的传家宝。我想……我想这个东西对他可能有点用处……呜呜呜……希望……希望他……"

刘禹州感到头皮一阵发麻，不是送一盏不起眼的矿灯，而且这次要去地下煤矿了。

"正式委托：送矿灯一盏，收货人王三汉。位置某煤矿丁字号井下，距离地表三百米深处。"刘禹州将任务确认信息传回了公司。

站在山岗上，俯视着不远处灯火通明的矿井。那里聚集着无数人马，大家都焦急万分，但救援进度却十分缓慢。

刘禹州的耳边回响着女人的委托："请你把这盏灯送到孩子他爸手里，告诉他一定要坚持住，我们都在盼着他回来。地下黑，有这盏灯可以照个亮。这是孩子他爷爷留下来的，好使着呢。当年他爷爷可是靠着这盏灯逃过一劫的。希望也能保佑他，给我们带来好运……"

刘禹州一声长叹，与 Q 姐对话："总部总部，目标是否确认？是否可以传送？"

"等等，等等。地下有强烈的地磁干扰，干扰我们的传送定位，你稍等。"Q 姐的声音响起，"草花七，我提醒你，地下环境特殊又恶劣，会极大地遏制我们的道具功能，你千万小心。"

黑，令人绝望的黑。这是刘禹州到地下后的第一感受。

传送到地下矿井的巷道，显然是一项相当困难的事情。即便是公司那台超级电脑，也足足运算了一刻钟。

手机里传来 Q 姐断断续续的声音，听不清楚到底在说什么，刘禹州干脆把它关掉，增强光线输出，当照明灯使用。

此时，他身处地下三百米，一个宽两米左右的巷道内。

巷道内壁林立着无数支撑杆，地下铺设着简易轨道向下延伸着。由于电缆断裂，照明系统已经瘫痪。更可怕的是通风管道也无法正常使用，空气里弥漫着一股呛人的硫化物味道。刘禹州忍不住咳嗽了几声。

按照进来之前的提示，这次矿难是因为地震导致一个正在井下作业的工作面发生支撑柱倒塌引起的。坍塌的巨量石方将整个巷道堵塞，使得前方作业的七名矿工被困。如果传送没错的话，现在，刘禹州所站的位置就是在那段被堵塞的巷道里边。他暗自庆幸没有被传送到煤堆里去。

手机屏幕上显示，刘禹州距离目标位置只有五十米左右，但是纵横交错的地下通道把他绕晕了，无论怎么走，他都无法走到目标位置。也可能，从这里到那里根本就无路可走，即便有，但是手机资料显示不完全，他还是无法找到。

刘禹州暗暗地骂了一句，就准备再次开启空间门，直接跨越过去。要是让自己在这个复杂的地下迷宫里一直摸索，天知道要多长时间。

等了几分钟，他把手机设定好，五十米短途应该不需要太多资源支持，所以他没有按照作业流程规定的那样，等待手套开门功能彻底冷却——很多时候他都这么干，还从未出过什么问题。

"一切准备就绪，目标五十米外的地下巷道，开始。"他双手一拍，右手握住手机按在粗糙的岩壁上。

哪料眼前白光一闪，脑袋里似乎有什么东西爆炸了一样，震得刘禹州头晕目眩，身体陷入一种麻痹状态动弹不得。

过了好一会儿，他恢复了视力，也恢复了意识，重新掌握了身体的控制权。再仔细看，自己还是站在原地，寸步未动。再把手机拿到眼前一看，只见手机屏幕上弹出一个警告窗口，红色的字符闪动，电子合成音在他耳边响起："警告，警告！由于地磁场强烈，已经与公司主机断开链接。请使用者务必在一分钟内重新链接。"

怎么回事？刘禹州吓了一跳，对着手机喊叫："什么叫断开链接？怎么才能重新链接？喂喂，你说清楚啊，《员工手册》上没写啊。"

"警告，警告！与公司主机断开链接已经超过一分钟，本终端进入自主重启程序，请稍候。"屏幕闪动了几下，彻底黑屏了。

刘禹州陷入了无边的黑暗之中，心里涌起难以名状的恐惧感，他大声呼喊了两声，没有产生回音，这说明自己处在一段密闭空间里。

周围没有任何声息，没有任何光亮，无法分清东南西北，如果不是脚底下还踩着实地，他几乎怀疑自己是存在于虚空之中。

"啊！"刘禹州忍不住大吼了一声，"我不要待在这里！拜托，快点让我回去！"

也许是过了一个小时，或者十分钟，甚至仅仅是那么短短的一分钟，手机的屏幕上又闪现出白光，照亮了这无垠的黑暗，照亮了刘禹州的脸。突然出现的强光刺得他几乎流下泪来，刘禹州长出一口气，躺倒在地上。

手机很快就收到了一条信息："警告，警告！公司无法定位机主，无法给予业务支撑，请机主立刻返回公司进行重新绑定。"

"不能定位？也就是说，公司找不到我了？"心情刚刚平复的刘禹州大吃一惊。

"警告！发现机主有一项待完成的业务，已将目标收货人的坐标储存，请机主尽快完成该项委托，该信息储存时间为二十四小时。"

刘禹州根本无暇关心这个，他一门心思地关注着更最重要的问题——手机还剩下什么功能，还能不能进行定位传送。

"还可以，真的还可以。虽然只剩下被动式 GPS 地理坐标定位，不过完全够了，哈哈哈。这下可好了，太好了，我终于摆脱公司的监控了。我算是逃出来了，这下我可以按照我的想法去活了！太棒了，空间大盗的传奇之路，就从今天开始吧！"刘禹州摆弄了白天手机，发现自己已经逃离了公司强大的监控网络，他兴奋地高呼，"摆脱！

独立！自己掌握命运！开始改变人生！"

他迅速在手机里输入自己早已准备好的一串坐标，然后将手机按在岩壁上，一扇空间门开启，刘禹州迈步走了进去，白光一闪，四周马上又恢复为漆黑的世界。

2

两年之后，在美国洛杉矶著名的 Mr.C Beverly Hills 酒店行政套房里。一个满头白发的老人皱着眉，端坐在沙发上，在他左右两侧，站立着两名身高体壮、面无表情的保镖。

这个老人是典型的西班牙人形象，穿着一身白色休闲西服，脚蹬精良的鳄鱼皮鞋，双手扶着一根黄金手柄的手杖，手柄前端的狮子头雕像栩栩如生。他看上去气势非凡，阴险狡诈，眼睛里散射着绿色凶光，犹如一匹准备出战的饿狼。

在他身前的白色橡木茶几上，平放着一个黑色手提箱，金属箱体上横向镶嵌着三道防爆肋筋。这是国际上最先进的防盗密码箱，价格昂贵，专用来盛放一些价值很高的文件和昂贵的珠宝等物品。

老人昂起头，将眼睛闭上了。房间里静悄悄的，只有三个人微弱的呼吸声。

"当当当……"清脆的钟声敲响了，老人扭头用西班牙语问自己的保镖："现在是什么时间了？"

"帕布罗先生，现在十二点整。"左边的白人保镖低头回答。

"哦，那么那个家伙应该到了。"帕布罗挺直了腰杆，自言自语。三个人的目光不约而同地落在通往走廊的大门上。

"咔擦"门把转动的声音清晰地传来。

让所有人出乎意料的是，被打开的门不是正对着茶几的走廊大门，而是在他们身侧，那扇通往隔间的门。

　　一个中等身材、身着一身蓝色工作服的人从房间里走了出来。这个人脸上戴着古怪的面具。如果常去逛中国城的人就会认得，那是中国特有的京剧脸谱——窦尔敦。

　　"你们好。"脸谱人用英语低声问好。

　　帕布罗挥挥手，示意自己的保镖不用紧张。他盯着面具男，用略带着点口音的英语和他打招呼："你好，你就是……那个神奇的面具人？"

　　面具男走到茶几前，向着他微微点头，很有礼貌地说："我是蜀山快递的业务员，请问有什么可以效劳的？"

　　"书……闪？"帕布罗卷着舌头，费力地说道。他显然对这个中国味道十足的名字十分不了解。不过，他也不需要去了解。他只知道这个面具男有什么作用就够了。他轻轻向后一靠，靠在沙发背上，仔细打量着这个蜀山快递业务员。

　　说实话，他对这个人一点儿也不了解，能够得知有这么一个人存在，还是一位很亲密的朋友介绍的。但是不是像朋友说的那样，这个看起来很普通的家伙有那样神奇的能力；是否值得自己信任，把这么重要的东西交托给他，帕布罗一点儿把握都没有。

　　虽然过往的几十年里，帕布罗做过无数关键性的决定，那些决定大多牵涉到几百人的生死，或是数亿美元的交易，但都没有今天下这个决定让他感到如此毫无底气。他不喜欢这种感觉，这种无法掌控的感觉。

　　一时间，屋子里再次变得出奇的安静。

　　好一会儿，帕布罗做了个手势，示意面具男坐下。但面具男摇了摇头，谢绝了。

　　"你刚才是从哪里进来的？"帕布罗终于发话了。

　　"您是指……我从里面出来？"面具男反问。

　　"对，我不知道你是怎么做到的。这间套房在我进来之前，至少被检查过两遍。我相信我的保镖不会犯这么低级的错误，把一个大活人漏掉。"帕布罗阴沉的声音，如冷风刮过。那两个保镖齐齐打了个寒战。

面具男的声音毫无起伏，似乎对这种质疑已经司空见惯："这是我的事，您不需要关心。您只要知道，我可以达成您的委托就够了。请问，您的委托是什么？"

"委托？"帕布罗看了一眼身前那个手提箱，动了动手指，"喏，就是这个。"

面具男走上前，俯下身，打量了一下那个手提箱："不错的东西。就这一个？"

"对。"帕布罗恋恋不舍地收回目光，又死死盯着面具男，几乎是一字一顿地说，"你，要保证这个东西安全送到！绝对不许出问题！"

"请您相信专业人士！"面具男淡淡地说，"请告知送达地点和对象。"

帕布罗轻轻一摆手，那个白人保镖上前一步，递上一张白纸。

"不，不用。"面具男摇头拒绝，并不伸手去接，而是掏出一个巴掌大的智能手机，对着那张纸扫描了一下。

手机发出一声脆响，面具男把手机送到帕布罗面前，对他说："请核对一下是否正确？"

帕布罗皱了皱眉，对他而言，这种动作无疑是一种冒犯，已经很久没有人能这么跟他说话了。他压制下心头不快，眯起眼仔细地看着手机屏幕。

手机屏幕上显示着一张送货单，包括货物的名称、图像，还有刚才扫描上去的收货人姓名、地址和联络方式。

"信息没问题的话，货物将在三天内送达，请您随时关注。"

帕布罗有些惊疑地问道："三天？不是说两天吗？"

面具男嘿嘿一笑："以前是，不过，最近我业务比较忙，调整了一下。您的朋友显然没有及时通知您。"

"好吧，三天就三天。"帕布罗沉思了一下说，"不过，你必须确保这个东西安全送到！否则……"他瞥了一眼面具男，毫不掩饰眼神中的杀机。

面具男不为所动，轻轻地拿起手提箱，说："请放心，我是蜀山快递，请您相信专业人士。哦，对了，我还有个问题。"

"什么？"帕布罗看着那个被他提起的手提箱，一颗心也跟着吊了起来。

"我的报酬。按照规矩先付一半。"

帕布罗点点头，示意另一个保镖打开了放在桌上的一只皮箱。里面是堆放整齐的一扎扎美元纸币。

"一百万美元。这是一半，剩下一半会在收到货之后三天内支付给你。希望我们合作愉快。"帕布罗冷冷地说。

面具男随手翻了翻那些纸币，确认没有问题，用另一只手提起皮箱，然后转身走进了里屋。

帕布罗等了几秒钟，终于忍不住站起来走到了屋门口。他先是侧耳在屋门上听了听，感觉里面好像没啥动静，果断地伸手握住门把把门推开。宽敞的套房内，空无一人，只有落地窗前纱帘随风舞动。

一个保镖迅速冲到窗前，跳出窗户到窄窄的阳台上。他朝下看，只能看到一排排玩具车大小的汽车停靠在停车场里。打死他也不相信，有什么人可以在几秒钟之内从这么高的地方跑掉。

帕布罗站在窗户边四下观望片刻，露出了一丝微笑："神奇的面具男！哼哼，但愿你真的那么神奇。"

在西班牙马拉加港口附近有一条幽静的咖啡街，其中有一家叫作白帆船的咖啡馆十分有名。因为这个咖啡馆地理位置最好，站在二楼的阳台上，可以将整个港口的风景一览无余，是很多来到这座美丽小城的旅游者都会选择的一个地方。从这里望出去，在青天碧水之间，港口里白帆点点，与云朵、海鸥勾画成一幅美妙的画面，耳边不时传来阵阵鸟鸣与汽笛声，再悠闲地喝一杯味道醇厚的咖啡，感觉确实不错。

一个妙龄西班牙女郎，一身素雅的碎花长裙，头戴一顶宽沿的白色草帽，一副大墨镜遮住半张脸，正坐在咖啡馆的二楼阳台上悠闲地晒太阳。她手上端着一本时尚杂志，似乎是一名悠然自得的游客，但她频繁地注视桌上的手机，暴露了她此刻并不安宁的心境。

就在她枯坐了差不多一个小时之后，手机终于闪动起来。

她第一时间就抄起手机，接通电话，显然她也意识到自己有些急躁，先平复一下呼吸，才淡然地打招呼："哈喽！"

"你好，索菲亚小姐。我是蜀山快递，一个半小时前给你打过电话。请问你现在到了吗？"

"我一个小时前就到了。"索菲亚尽量让自己的声音听起来很平静，"你在哪里？"

"好的，我也到了，就在附近，不过还有些技术问题要先处理。"男子缓缓说道，似乎根本不在意对方已经迟到了一个小时。

"技术问题？什么技术问题？"索菲亚忍着内心的焦躁问道。

"当然是关于如何支付我另一半报酬的技术问题。"

"你放心，我都带来了，就在我身边，请你赶快过来完成我们的交接。你要知道那件东西很重要，我们不想耽误时间。"

"好的，没问题，请你相信专业人士。货物没问题，也可以马上交到你的手里，不过你能确定我的报酬也没问题吗？"

"当然，当然确定。"索菲亚咬着牙说，"你放心，我们不会对你有什么其他想法，我们也不想节外生枝。"

"希望如此。好了，有一位侍者走向你，他会给你一把钥匙，是游艇俱乐部一个更衣柜的钥匙。货物我放在那里了，你派人去拿吧。顺便，把我的报酬放在里面。"

"等等，你不亲手把货物交给我吗？"索菲亚着急地问。

"哦，这种交货方式经过验证，实在危险。你知道，干我们这行，必须讲究'防人之心不可无'！这是中文，你可能听不懂——"

"我听得懂，我在中国留过学！不得不说，面具男先生，你很谨慎。"索菲亚打断他的话，站起身冷冷地说。这时候，她看见一个侍者托着一个盘子向她走来。

"谢谢，我就当你是在夸我。请尽快完成我们的交易吧，我赶时间。顺便说一句，你的裙子很好看。"

"爷爷，我已经拿到箱子了。"索菲亚对着电话说。

电话那头，是手持狮子头金杖的帕布罗。

"那就好。索菲亚，没有什么问题吧？"

"没有，我已经把箱子送到了工厂。相信有了这批试验数据，我们很快就可以完成新药的研制了。哈哈哈！"索菲亚高兴地说。

"嗯，总算没有白费我一番苦心。死九个人也算值了。"帕布罗也松了一口气。他话题一转，又回到那个箱子上，"那个送货的家伙，你见到他了吗？"

"我正要说这个……爷爷，那个人很警惕，根本就不露面。电话追踪也没有找到，他的那个电话号码是空号，无法追查。不过，我安排了几个人在游艇俱乐部守着，只要——"

"算了。"帕布罗打断了她。

"什么？"

"我说算了，不要浪费时间了，也不要再去追踪他。"

"啊，为什么？"帕布罗不解地问。

"他……只是个送快递的。"帕布罗无奈地解释了一句，然后就挂了电话。

在他的桌子上，摆放着一副面具，蓝靛脸窦尔敦。这是他刚刚从自己的卧室里拿出来的。面具上贴着一张字条，用英文写着：

蜀山快递，好人一生平安。

一周之后，在美国洛杉矶的一座海滨别墅里，摘去面具的男子正坐在游泳池旁边打着电话。没错，他就是从地下矿洞消失了两年之久的刘禹州。现在的他，俨然一副富家公子的模样，赤裸着上身，只穿着一条泳裤仰躺在躺椅上，享受着日光浴。

"喂，老乔！是我。

"你的留言，我看到了。不不，老乔，你知道我的规矩……中国大陆我不去。有再好的报酬我也不接，这是我的规矩，你忘了吗？

"我知道，我知道。不用再劝我了。另外，你上次介绍的那个客户，可有些不规矩……没什么，后来我小小地劝诫了他一下，应该是有点效果。哈哈，那个姑娘？索菲亚？当然还可以，蛮漂亮的，不过我没有接触……什么，新闻？我没看，你等等。"

刘禹州走回到宽大的客厅，打开了挂壁电视，上面正在播报一则新闻——

"据报道，西班牙的一家制药厂前日发生重大爆炸事故，造成至少十人死亡，数百人受伤……爆炸引发的大火……制药厂属于著名的美因茨家族所有，该家族在世界医药领域享有很高的声誉……警方正在调查事故原因，此次爆炸，不排除人为因素……"

刘禹州继续通话："看到了。这个什么药厂，美因茨家族……怎么？和你有关系吗？"

电话那头，是一个光头大胖子，一副小胡子修剪得十分整齐，右手中指上一个硕大的金戒指闪闪发光。

"亲爱的蜀山，你显然对这些著名的家族企业缺乏了解。这个美因茨家族的族长就是你上次见到的委托人。当然我要说声抱歉，我可是特意提醒过他不要出什么……幺蛾子？对吧，中国话是这么说的吧？"他卷起舌头，用中文念出"幺蛾子"三个字，然后高声朗笑道，"哈哈哈，我学得很标准吧，蜀山。当然这个老头，心眼小了点。不过没关系，你最后也没有吃亏嘛。反倒是这个老家伙倒了大霉。他居然盗窃美国军方的生物研究资料，想生产出一种抗癌的特效药，哼哼，你看到了，连药厂都给他炸了,这美国佬做事还真不是一般的嚣张啊。"

他话音一转，又劝说道："蜀山，这次的生意你真的不考虑一下？当然当然，这对我们俄罗斯光头帮来说也是很大的买卖，很重要，上千万美元的利润，值得我们冒一些风险……好吧，既然你这么坚决，那么我也不勉强，希望能有机会再合作。"

光头挂断电话后，一张脸略有些阴沉。坐在他对面的，是一个衣着华贵的青年，从相貌上看，也是典型的俄罗斯人。他开口问道："怎么了，瓦加？那个面具男拒绝了你？"

光头瓦加在脸上抹了一把，那种阴郁神色立刻消失，取而代之的是一副亲切和蔼的神情，看似轻松地回答："没什么，格里高利耶维奇。这个朋友一向这样，哈哈……他拒绝一切跟中国有关的业务，我也只是试探试探，态度果然很坚决。"

格里高利耶维奇微微一笑，说："说起来还真是有趣。你瓦加可是我们俄罗斯光头帮的主要成员，居然会替一个送快递的做掮客，帮他介绍客户。上帝，你不知道当初我们家族的几位老大听了这个消息，差点把盘子吃下去，哈哈哈！"

俄罗斯光头帮，是美国西部海岸地区一个实力雄厚的黑社会组织，高级成员主要来自俄罗斯和东欧，在整个美国，都是与意大利黑手党不相上下的黑道组织。

瓦加不为所动，毫不在乎这个青年言语中的戏谑，仍然憨厚地微笑着："这种行为用中国话来说，叫缘分。"瓦加又吐出一个中国名词，还用俄语解释了一下。

"想当年，我也不知道是怎么回事，在回家的路上遇见了这个小子。后来就委托他替我干了几件事。"瓦加的脸上露出几分追忆往事的深沉，"不过这个家伙确实很神奇，总是神出鬼没的，根本找不着他的人影。你知道吗，我也曾经设下圈套想抓住他，十几个最精干的打手，把我家守卫得跟铁桶一样，结果这家伙还是潜进来了。不过从那以后，我们合作得还算愉快，他也帮了我不少忙，当然这家伙也挣了很多钱。"

"听说了。"格里高利耶维奇点点头，不满地说，"现在，有谁没听说过这古怪的快递员？他就快赶上蜘蛛侠了。据说他收费是按照距离计算的？"

"千公里之内，五万美元。每增加一千公里，价钱翻倍。"瓦加无奈地说道，"有时候还得看他的心情。"

"他妈的！"格里高利耶维奇骂了一句，"他是疯了吗！这么贵还有谁雇佣他？"

"NO，NO，NO，我亲爱的格里高利耶维奇。"瓦加摇着手指，认真地说，"这个世界上，总是需求决定价格。他敢要这么高的价，就说明他的服务很不错。据我所知，很多人还是有这个需求的。很多需求也不见得都是打打杀杀，安全、快捷、没有麻烦都很重要不是吗，你这次来我这里不也是为了谈这样的业务吗？"

"可他没有接受！"格里高利耶维奇的脸上闪现一丝青气，显然这种被拒绝的滋味让他很恼火。作为一个黑道家族的主要成员，他很多年没有尝过这种滋味了。"他难道不知道，拒绝我格里高利耶维奇的要求是一件多么愚蠢的事情吗？"

瓦加眼中闪动着难以察觉的得意，但表面上还是一副语重心长的样子："好了，我亲爱的表弟，这件事不要再占用我们宝贵的时间了，既然他不接就算了，我们再找其他途径。从中国大陆走私文物的渠道还有很多。"

格里高利耶维奇冷哼了一声，说："那是当然。我想干的事情还没有干不成的。我自然会去寻找其他的办法，那个青铜鼎一定会是我的。不过，这个面具男如此不识抬举，我也必须要给他足够的教训。我相信教训你的生意伙伴这样的小事，瓦加表哥你不会有什么意见吧？"

瓦加笑着说："我亲爱的格里高利耶维奇，这个当然没问题，毕竟我们是一家人。不过我好歹是他的经纪人，这样的事情我就不参与了，但我也不会泄露消息的。你放心，只要你能找到他，随便你怎么处置，不用考虑我的面子。"

"怎么？表哥你不打算告诉我他的地址吗？"格里高利耶维奇冷笑道。

"不是不告诉你，而是我根本就不知道，这个我可以发誓。"瓦加狡黠地笑着说，"我从来就没有打听过他的住址，天知道他到底在哪，也许是个流浪汉，四海为家。"

"这不可能。"格里高利耶维奇断然地一摆手，狐疑地看着瓦加说，"我不相信你就没动过这个脑筋。瓦加表哥，你可不要骗我。"

"追踪过，"瓦加坦诚地说，"我当然会这么干。但是无一例外，全部失败。他是个很狡猾的家伙，真的，非常狡猾。没有任何可以被追踪的信息。我跟他接触是通过网络，在网上只有一个邮箱，可以留言但从来不见回复。他见到留言都会直接打电话过来，可电话号码从来都是空号。所有业务报酬只接受现金，同样没有渠道可查。而且，我劝你也不要想着去追查他的下落。"

"为什么？"

"他不是一个好脾气的人，惹怒了他，他会报复的。"瓦加故作语重心长地说道。

"哈哈，笑话！"格里高利耶维奇站起身，昂首挺胸地说，"谢谢你的招待，我亲爱的表哥，我对这个……这个面具男，叫什么蜀山快递的，真是越来越有兴趣了。"

当天晚上，刘禹州登录了自己的邮箱，发现瓦加给他发来了一封新邮件。邮件只有短短的几个字：请小心，我的表弟想去拜访你。如果他找得到的话。

刘禹州嘿嘿一笑，拿起手机，给瓦加回了个短信：请相信专业人士，蜀山快递。

3

刘禹州自然不会掉以轻心，但也不至于神经过敏。他相信自己隐藏得够深，想找到自己那基本上是痴人说梦。

他现在的公开身份是一名拥有瑞士身份、在美国长期居住的华裔建筑师，各项手续齐全，甚至在瑞士真的有他名下的一家建筑师事务所在运营，虽然只有两名员工。除了瑞士身份外，他还拥有欧洲数国的绿卡，只要有钱，这些在美国都可以搞到。

这两年来，他卷来的那一套工作装备：工作服、手套、手机虽然脱离了主机系统的支持，但还保留着基本的功能，从而让他穿梭空间、隐身、通讯屏蔽，这些强悍的功能完全可以与钢铁侠、蜘蛛侠媲美。他以"蜀山快递"之名，承揽一些特殊物流服务。他在美国有房产、有投资项目，赚的钱已经不在乎数目了。

可不知怎么的，现在他觉得这日子过得很没劲。即便是业务繁忙的时候，也很难让他百分百地投入精神，完全不像刚开始那一段时间，每一单业务都让他兴奋。也许无论做什么，做得久了都会丧失那种激情和进取的欲望吧。

一开始他还很担心，黑桃八或者片儿尖会来追杀他，很是提心吊胆地过了一段日子。但随着时间的推移，万里之遥的人生快递似乎完全把他遗忘了，他也慢慢地放下心来。可再怎样，中国大陆他是坚决不敢回去了。

有时候夜深人静，他也会扪心自问，问自己是否后悔，答案当然是不——现在他过的是什么日子？要房有房，要车有车，兜里还有大把的美元。想去哪儿度假就去哪儿，想几点起床就几点起床。他后悔什么，除了对父母有愧疚感。

当然了，自己的父母那里，他也偷偷地寄去了一些钱，起码够二老养老，就是不知道他们敢不敢要，那都是用伪造的一个假身份寄去的，但按照父亲的脾气，多半是不会接受这种不明来历的钱财的。他甚至还给孤儿院捐赠了些钱，指明要苏苏上学，但也不知道是否用到了实处！

不知道林巧儿现在过得如何？如果她知道自己现在这样的生活，会不会后悔……还是别想了，有用吗？有时候刘禹州有种冲动，真想立刻站在林巧儿面前，告诉她，跟着他，同样可以有好的生活，比那个银行男强多了。但刘禹州也知道，这仅仅是个幻想罢了。

话又说回来，虽然挣了这么多钱，但他也没觉得自己有什么值得骄傲的，总觉得心底一阵又一阵的焦躁不安，也不知道是在担心什么。用别人的工具赚钱，肯定无法做到心安理得，但已经走错一步了，回头也无济于事了。他很清楚，靠着自己这种手段赚钱，即便赚得再多，也只能算是富而不贵，这一生终究是不完满的。

刘禹州内心十分疲惫，不到三十岁的人却有着六十岁的心。只觉得放眼望去，世间红尘翻滚，却仍索然无味。是不是自己走得太快，把这一辈子的事情都做完了？有时候他会这样疑惑地反思自己。他倒宁愿像以前那样，对金钱、对爱情、对自己的身体有所渴望，有了盼头，才不会活得太枯燥。

美国人在过感恩节，望着窗外忙碌而欢乐的人们，刘禹州心里很不是滋味。他坐立不安，辗转反侧了半天，还是没有睡意。他只好像以往想家的时候一样，戴上破界手套，随便定位一个国家，然后在人少的地方静静地坐一个晚上。

也许，自己该试着去谈恋爱，找个老婆，改变一下生活；或者回到国内，看看父母、朋友。有些念头就如春草，一旦产生，就会不由自主地疯长，怎么也消除不掉。在回不回去这个问题上，刘禹州纠结了一段时间，最终决定回去，他觉得就算被人生快递公司抓了，也比过这种空虚的日子好一点，而且被抓的几率是很小的。

他想念自己的父母家人，想念小苏苏，还有一个最主要的原因，他很想站在林巧儿面前，用一种从容淡定的口吻，问问她最近过得怎么样，然后再看着自己手上的江诗丹顿腕表，潇洒地告别——"回见，我还要赴约！"

这是什么心态？刘禹州觉得自己这样想很无聊，也很幼稚。但就是这样的无聊和幼稚，他才能觉得心情好一点点。

"我是一个有理想、有能力的男人！我可以选择我要的生活！你没有选择我，是你这辈子最大的失误……"说到底，刘禹州还是个小男人，心眼并没有他想象的大。这两年来，他拼命工作，吃尽了苦头，百折不挠，动力也多半来源于此。

每每想到自己利用这样一套近乎无敌的装备，却做着这样自私的事情的时候，刘禹州就会觉得内心非常羞愧。尤其是想起在人生快递公司的那些日子里，自己的辛苦与快乐，想起 Q 姐、黑桃八，还有那位已是一抔黄土的前辈对自己的教导与启示……不过，这种自省的时候并不多，每一次自省之后，刘禹州都会通过花天酒地来麻醉自己，直接选择最强力的说服方式——"看，这才是生活！为了这样的生活就必须有钱！钱是好东西，为了钱还有什么不能干的呢？"

回国的方式，刘禹州选择了最普通的飞机入境。他有完全合法的身份可以使用。能不能逃避公司的追捕，说实话他心里没底，总之能不动用那套工具就尽量不动用。只希望公司真的已经放弃了搜寻自己，不然不会两年时间都没动静。他可不相信自己断开了手机链接就真的能逃避掉公司的监控，那个灵魂契约的作用他是见识过的。

带着一丝侥幸，刘禹州在一个阳光明媚的秋日午后，再次踏足祖国大地。那一瞬间，他居然热泪盈眶，仿佛之前所有的祈祷、挂念都是苍白无力的，只有真正站在这片土地上，才能心安。

"姐，是我，小五。"他打通了陈薇薇的电话。

听筒那头沉默了几秒钟，清晰地传来一声吸气声，刘禹州赶快把手机拿离自己的耳朵。果不其然，一顿山呼海啸般的怒叱从手机中爆发："你个王八犊子还知道打电话！你死到哪里去了？你这个败家子……你知不知道你爹妈都快急疯了！你这个狼心狗肺的东西！你知不知道我们有多担心你！你这个……"

"好了好了！"刘禹州赶快投降，打断了陈薇薇的话，不然这痛骂可能得持续到晚上，"姐，我现在在北京，你有空吗，我们见面聊。"

在国贸中心楼下的一家咖啡馆里，刘禹州见到了阔别两年的表姐。陈薇薇很给面子，上来就是一巴掌。打得刘禹州哭笑不得，赶快拉着她坐下。

好容易让陈薇薇消了气，二人这才好好说话。

"这么说，你这两年都在美国？"陈薇薇瞪着刘禹州，开始认真发问。

"是。"刘禹州编造了一通谎言，说是奇遇也好，好运也罢，算是把自己怎么到美国，怎么挣钱这段糊弄过去了。

"那你现在算是个小富翁？"

"是。"

"嗯，算你有出息。不过，我倒要看你怎么过叔和婶那一关！你知道吗，光报纸上寻人启事他们就发了不下三回，在北京住了半年才回家。稍微身体差一点，你这辈子就后悔去吧。"陈薇薇说着，火气又上来。

刘禹州赶快低头认罪，媚笑着安抚道："我也知道，这次我做得不对。可我也没办法，事发突然，我是真来不及。"

"那你事后呢？为什么这两年时间你都没个信？"陈薇薇咄咄逼人地发问。

"我是有苦衷的。真的，姐，你要相信我，我是那种没心没肺的人吗？说实话，我这次回来都是……都是冒着风险呢。"刘禹州痛苦地说。这痛苦有五分假，也有五分真。两年时间离乡背井不能跟家人联络，那种孤寂和内疚真的不好受。

"怎么了，小五？你说实话，你在美国是不是干了啥不好的事情？你是不是加入那个啥了？你到底去干什么工作啊？"陈薇薇紧张起来，眼睛瞪得圆鼓鼓的。

"嗨，一言难尽啊。姐，你也别问那么多，总之我现在不能随便曝光，这次回来我都是用了其他身份。我是不想牵连你们。"刘禹州想起片儿尖那阴沉的脸，心头掠过一丝苦涩。

以公司的角度看，应该不至于搞株连这一套。但是，谁敢保证这一点？他要是说出实情，人生快递公司必定会把和自己有关的人的记忆全部抹杀，让他们从此都不记得有自己这个人……这种事，想想都觉得不寒而栗。这是比没收全部财产更让刘禹州恐惧的后果。

陈薇薇不愧是干记者的，心理素质过关，见表弟有难言之隐，也就不再刨根问底，于是换了个话题："那你这次回来，要不要去家里看看？还有啊，那个女警察，你是不是也要见见人家？上次为了你的事，她可是不遗余力地帮忙。把你妈感动的呀，要不是我在场介绍，就直接把人家当作儿媳妇了。"

林巧儿！刘禹州的脑海中浮现出那个英姿飒爽的女警官形象。难受得几乎窒息。

"她呀。"缓和一下心情，刘禹州故作轻松地说，"她还好吧？"

陈薇薇鄙视地看着他："我先问你呢，你到底要不要回家去看看？"

"哦，回家，这个我还没想好。"刘禹州犹豫了。真到了国内，他反而有些近乡情怯。

"还是回去看看吧，悄悄地去。我不信你有啥对头能跟着到中国来。就算是有，咱有这么多兄弟姐妹，还怕他不成。"

刘禹州苦笑着，没敢接茬。

"姐，这个给你。"刘禹州掏出一张银行卡，推到了陈薇薇面前。

"怎么，要收买我了？多少钱，钱少了姐可是不依。"陈薇薇笑眯眯地拿起卡，在手中玩弄着。

"瞧你说的。咱姐弟用得着收买嘛。没啥说的，就是点小心意，感谢你前几年对我的照顾的，再说我不是还欠你钱呢嘛。"刘禹州潇洒地挥手说。

"好，我收下了。这几年姐确实为你累得不轻，这都人老珠黄了也得攒点银子过下半辈子了。"陈薇薇感慨地收起银行卡。

"怎么……姐，你还是单身啊？这也太暴殄天物了。"刘禹州心情好了，开起了陈薇薇的玩笑。

"没法子，现在的男人，大多都靠不住，还是靠自己吧。你瞧瞧，啊，这大街上一个个的，不是可怜虫，就是人面兽。"陈薇薇说得颇为无奈。

"姐你这……不是被人骗了吧，说，是哪个混蛋？我替你出气。"

"少扯。没有啦，就是有些感慨。一晃姐都三十多了……你那个女警察倒是抓住了机会，已经结婚了，我还去参加她的婚礼了。你现在失落吧，后悔吧，遗憾吧！当时来了不少人物，排场挺大的。那个男的家里有点背景，人嘛，长得也不错，据说还是个什么证券经理，年收入百万啊，真是高富帅的代表……"

三天之后。刘禹州坐上火车，来到了自己的家乡。

这个小城市变化不大，跟他当初离家上学的时候几乎一模一样。而自己呢，被写进了跌宕起伏的人生剧本，最终落了一个让人慨叹、啼笑皆非的结局。

他来到自家小区的一家小饭馆里坐定，当年那个风姿绰约的老板娘，依然在柜台后面忙碌，似乎并没有被岁月抹去她那种水灵灵的秀气，连模样都没怎么变。她好奇地打量着刘禹州，让刘禹州惶惶不安。自从他回国后，就一直有点心神不宁，总觉得背后有一双眼睛盯着自己。

他没有直接上楼去和父母见面，打算就这样远远地看上一眼。他担心就在自己和父母见面、抱头痛哭之际，片儿尖从天而降，把自己捉了去，然后一挥手，白光一闪——从此，父母都不记得有自己这个儿子。像那些玄幻小说里写的，所有自己家的照片上，自己所在的位置都是一片空白。

"说不定，这才是公司对自己最大的惩罚，就等着自己自投罗网！"刘禹州这样想。越是这样想，他就越觉得浑身不对劲，最终在强大的心理压力下败退。

早上八点，他见到了自己的老父亲推着自行车出门，车上架着鱼竿，应该是去钓鱼，这是老头退休后唯一的休闲活动。他的气色不错，身体还算硬朗，这让刘禹州很是欣慰。按照陈薇薇的描述，父亲年前才从床上下来，两个月前，才恢复了钓鱼活动。年前，也就是刘禹州第一次用化名给家里寄钱的时候。突如其来的汇款，让二老很是惊讶，立刻就拒绝接受。但也猜到，这个跟失踪的儿子有关系，总算放下一半心。

"儿子大了，随他去吧，只要平平安安的就成。"老两口经常这么劝慰对方。

早上九点，刘禹州见到了自己的母亲。她挽着菜篮子，上早市去买菜。岁月的无情打磨和儿子失踪的悲剧令她迅速衰老，身体不再那么直挺，白发也已占据了头顶的半壁江山。

"小五肯定是有什么不得已的苦衷的。"母亲这样反复劝解着自己和老伴，"小五那孩子，本分老实，不会出什么大乱子。"

这些内容，都是刘禹州从陈薇薇那里了解到的。

他悄悄地离开了小饭店，买了当天的飞机票，再度回到北京。

初春的北京还有些凉，刘禹州缩了缩脖子，打算去坐出租车。这个时候，一个声音在他背后响起："你好啊，草花七。"

刘禹州僵在原地。足足过了有五秒钟，他才艰难地转过身子直面身后这个说话的男人。片儿尖站在他身后，一身出任务的立领黑夹克，手上戴着黑色的手套。

刘禹州的双手一直插在兜里，那里放着他的手套。为了不引人注意，一般情况下他都是把手套摘下的。

他的第一反应，就是怎么拖延时间，分散片儿尖的注意力，好把手套戴上——不过要是不把手套从兜里取出来，而是藏在兜里戴，难度太大，他没把握。只要三秒钟，只要给他三秒钟，他就能迅速地取出手套戴好，就可以强行开辟空间门传送出去。虽然那样做危险很大，但总比被片儿尖抓住强。

片儿尖看着他，微微一笑，说："没关系，你可以戴上你的手套。

看得出来，你这两年进步很大，遇事不慌，能沉得住气。不过我要提醒你，我是公司的保安，我的能力先天上就对你有克制。"他拿手在空中画了个圈，"这里，方圆百米之内，都是我的管制领域，一切空间技能都被我干扰，你就不要打这个主意了。想逃跑，可以，能打败我就成。不知道你学的那些格斗技巧现在练得如何？"

刘禹州发出"嘿"的一声，脚下突然发力，如猎豹扑食般，腾空跃起，一拳猛击片儿尖的面门。这两年做业务，他也没少遇到暴力的场面，枪林弹雨中也是走过几个来回的，拳脚功夫已经是相当了得。再加上他装备优势，对付一般打手，十几二十个还真是毫无压力。这看似简单的一扑，实际上速度极快，力量极大，就算是一只犀牛被他击中，估计也得倒地不起。

只不过，让刘禹州担心的事情还是发生了。

在他接近片儿尖的一瞬间，感觉自己的动作迅速变慢，仿佛是扑进了一滩胶水里，在拳头离片儿尖的鼻尖相距一厘米的地方，他彻底被凝固了。他使出全身的力气再次出拳，但身体却轻飘飘地落了下来，然后迅速后退，倒在了地上。

"我都说过了，在这个以我为圆心的百米空间范围里，我有掌控权。任何向我发动的攻击，都将被无效化。"片儿尖冷冷地看着刘禹州，"你也跟我出过任务，难道忘记了？"

"没忘。"刘禹州简短地回答。然后抽身边跑边将手套拿出来戴上。不就百米吗，我跑出百米就行了。我不信你这个老头子跑百米能比我还快。

一只戴着黑色手套的手按在刘禹州的肩上，那只手仿佛有千斤之力，压得刘禹州骨头都咯吱咯吱响，一个趔趄，差一点儿就坐倒在地。

片儿尖来到刘禹州的身后，按着刘禹州的肩膀冷笑着说："小子，还不认输？"片儿尖并没有像刘禹州想象的那样，将他带回公司审讯。而是在附近找了一家面馆，两人一起走了进去。

"你是怎么跟踪到我的？"既然跑不掉，那就认命吧。刘禹州狼吞虎咽地吃着拉面，他想就算死也得吃饱了，何况这两年他也够本了。想到这儿，他倒有几分如释重负的轻松感。

片儿尖坐在他对面，瞟了他一眼，说："你从来就没能逃脱。你的行踪，一直被公司掌握着。我们知道你在美国，还成立了一家蜀山快递，对吧？真有你的，胆子不小，敢卷公司的包袱。你以为你能逃得掉？"

"那……为什么……为什么这两年都没来抓我？"

片儿尖没好气地瞪着他，说："黑桃八退休了，你跑了，公司的业务不得有人做啊，我现在既是保安，又是业务员。那么多的业务等着我做，没工夫找你去。"

"实话告诉你吧，你卷走的装备带有空间干扰效果，只要离开中国境内，公司就无法实时定位你的具体位置，只能有个大概方向。要出国去抓人，需要长时间的持续跟踪，我们可没那个闲工夫。再说，公司现在的资源有限，都集中在业务上，也暂时没空理会你这样的叛徒。"

"叛徒"两个字让刘禹州难过得说不出话来，在公司最需要自己的时候，自己却贪图个人利益，给公司带来了这么大的损失。

"这次你小子有胆，敢回来探亲，还是挺有良心的嘛。从你一入境我们就知道了，你这几天的行踪一直都在我的关注下。告诉你，我们是特意留出时间来，让你回家探望父母的，我们对你这样犯错误的家伙都如此宽容。"

刘禹州心里很惭愧，但嘴上却说："什么叫叛徒？别说那么难听好不好。"

"你还有情绪？不叫叛徒叫什么？你说。"片儿尖冷笑，"你就是公司的叛徒。我在公司服务三十年，你是我见到的第一个背叛公司的员工。你这个叛徒！"

"我……"刘禹州抬头看着片儿尖，想说什么，却又是一阵气馁，他颓丧地坐在那里说，"我只是想改变我的人生，我不想一辈子只做个送快递的。"

"那你就能这样，盗窃公司的力量来改变你的人生？这不是背叛是什么？这就是对公司神圣宗旨的背叛！"

"我说过我不是叛徒。我一开始就不打算在公司干下去，是Q姐不让我辞职的。什么所谓的宗旨，不过是公司强加给我的东西。"刘禹州义正言辞地说道。

"那你就是个小偷。"片儿尖冷笑，就那么看着他，眼神中饱含鄙视。

"公司……公司打算怎么处置我？"半晌，刘禹州想起这个他最关心的问题。

"你没读过公司的手册？上面有明文规定。"片儿尖话锋如刀，一瞬间将刘禹州的灵魂切割成肉片。

"我……我好像没看过。"刘禹州搜索记忆，但现在脑子里一片混乱，再加上那些规定确实不少，所以什么都想不起来。

"像你这样的情况，属于严重违反公司规定，给公司造成重大损失，必须严惩，要没收全部非法所得。"

刘禹州松了口气，似乎这个处理结果也不是那么难以接受。

"还有！"片儿尖冰冷的声音再度响起。

"还有？"

"废话。那只是附带的处理条款，正式处分我还没说。正式处分是，禁锢灵魂十五年，剥夺终生记忆。"

"啊？"刘禹州感觉到大事不妙，这个词听起来就不像是好消受的。"禁锢灵魂，剥夺记忆"，怎么禁锢？怎么剥夺？

"禁锢灵魂，你的灵魂将被专门提炼出来，送入公司特制的容器中关押。这期间，你的躯体一切生物机能仍将保持正常，由公司负责保管，也就是植物人状态。在你灵魂禁锢期满后，重新启用你的身体，也就是灵魂归窍。"

"植物人！十五年……那么，剥夺记忆呢？"刘禹州感到一阵冷风袭来，让他背后直冒冷汗。

"嘿嘿嘿……"片儿尖看着他微微一笑，"你的记忆将全部被抹杀。你重生的那一刻，你就将是一个全新的人，你将忘掉过往的一切，公司会给你灌注一套全新的记忆内容，也就是说，从此世上不再有刘禹州这个人。"

刘禹州大骇，腾地一下站了起来："不，这个不行！"

片儿尖斜睨着眼问道："怎么不行？"

刘禹州企图引起旁人的注意，好让自己逃走，于是大喊大叫道："你们，你们不能这样。这是谋杀，这是草菅人命。"

片儿尖识破了他的意图，微笑着点头："不错啊，懂得利用环境了。不过你别忘了我们都学过屏蔽技术，你喊叫是没用的。"

周围不多的几个食客该吃吃，该喝喝，完全没有注意到这边的情况。

该死的。刘禹州暗恨。他的手机不能和公司联网后，丧失了大部分功能，这个屏蔽罩技能他已经忘了。

他再次坐下，握紧双拳放在桌子上，盯着片儿尖，眼神中射出愤恨的光芒："公司不是传递爱的吗？不是给人希望的吗？既然是正义的代表，怎么能做这样的事？这是邪恶！这是犯罪！"

"错，全错。"片儿尖凑近了距离，对视着刘禹州，一字一顿地说，"公司的行为，无关乎所谓正义与邪恶，只有需要和不需要。处理业务如此，处理你，违反规定的员工亦如此。何况，并没有要剥夺你的生命嘛，你还可以继续活着。活很久，比我还久。"

"那样活着跟死了有什么不同？"刘禹州激动地大叫，狠狠地敲着桌子说，"少跟我玩文字游戏。这样的结果我坚决不接受，我……我要上诉，我要找Q姐，你们欺人太甚！"

片儿尖似乎在欣赏他那副激动、惶恐、紧张、失落的样子，半晌，才悠然地坐正身子，说："Q姐早料到你会这么说。好吧，你的上诉我接受了，两项处分，你选一个。"

"什么？"

"我说，两个处分，二选一，没问题吧？"

"二选一？"刘禹州一阵惊喜。还用选吗，肯定是选灵魂禁锢十五年啊，再怎么也比抹杀记忆强。被抹杀记忆，重新灌输，那还是自己吗？跟直接枪毙有什么不同。

他想了想，试探着说："那个，还能不能再商量商量？都已经没收我全部非法所得了，这个……其他就算了吧。"

"想得美。选择吧，小鬼。告诉我，ONE OR TWO？"

"植物人的话会不会有什么……后遗症？毕竟十五年不用，这个机能……"

"不知道。"片儿尖板起脸，觉得这家伙有点儿烦，"要不我替你选？"

"好吧好吧，我选一，灵魂禁锢。"刘禹州赶紧说。

片儿尖点点头，伸手掏出一个巴掌大小的黑盒子，盒子上亮晶晶的符文闪动，看起来很有科技含量。

"等等，等等。"刘禹州觉得不妙，赶紧喊停，"你这就要动手啊？"

"当然。"片儿尖捧着盒子，对刘禹州说，"你还有什么问题吗？"

"就没个……缓刑啥的，比如咱们缓刑五十年什么的……好好，算我没说。你先放下，放下。前辈，看在我叫你前辈的分上，你先放下。"

片儿尖不悦地说："赶紧的，还有什么要交代的？我赶时间。"

"我想先去看一个人。"刘禹州抬起头来，坚定地说。

夜色已深。派出所的指导员办公室里，桌上还亮着灯。一个警察从里面走出来，边走边说："林所，你先休息吧，别跟我们耗着了。这儿有我们几个看着，那几个小子我这就突审，争取都给铐了。"

林巧儿走到门口笑道："成，有你我就放心了，你去吧，我等你信儿，好容易抓个现行，我这哪睡得着。"

二人告别，林巧儿关上门，疲惫地靠在椅子上思索着什么。这时候，她的手机响了。

"嗯，是我。是啊，加班，有个突发事件……一点多了啊，你别等我了，先睡吧……吃了吃了，我知道……好，好，嗯，就这样。"她闭着眼，嗯嗯啊啊地和手机那头的老公说着。在她的右手无名指上，一枚戒指闪闪发亮。

她完全不知道，就在办公室的一个角落，有两个人站在那里，静静地看着她。

"就是她？"片儿尖悄声地问。虽然有屏蔽罩，但他还是有意识地放低声音。

"嗯。"刘禹州目不转睛地看着林巧儿。

"谁？谁在那儿？"小林突然惊醒，坐起来环视四周。她的右手已经下意识地想去抽屉里摸枪，不过她的动作做到一半就停下了。

从阴影中缓缓走出一个穿着很得体的休闲西服的人来，林巧儿有点吃惊，但还是认真地打量着对面的人。当这个人走到台灯照耀之下的地方，她证实了自己的猜测，确实是那个常在梦中出现的人，那个不辞而别、神秘消失的刘禹州。

"你？怎么是你？"林巧儿惊讶地看着刘禹州，再看看一直关闭着的屋门，起身问道，"你是怎么进来的？"

刘禹州看着她无名指上那枚闪耀着微光的钻戒，一时痛苦地说不出话来。他长长地叹了口气，问了一句等同于废话的话："你已经结婚了？"

"嗯，去年结的……你去了哪里？你到底是怎么回事？无声无息地失踪两年？知不知道你家人为你多着急，都来报过两次案了。你这两年都在哪儿？"林巧儿一连串的问题抛了出来。再次面对这个男人，她心里也是说不出的复杂情绪。

"在美国。"刘禹州简短地说。他低头，却看见拉开的抽屉里，在那把92式手枪的旁边，摆放着那只小小的玉坠，看得出来，这只玉坠一直被林巧儿珍藏着。

他暗暗叹了口气，指了一下那个玉猴，说："可以把那个给我看看吗？"

"这个？"小林奇怪地看他一眼，随后把玉猴拿出来，递给刘禹州，"这个东西你认识？我都不知道是怎么到我手里的……啊，难道是你……是你送的？"

小林脑海中灵光一现，抓住了问题的重点："是你，对不对？一定是你送给我的，在那次珠宝店劫持案。那次也是你救了我？你到底是干什么的？刘禹州，求求你，说实话好吧，不要再瞒着我了。"

刘禹州把玉猴握在掌心，凄然一笑："已经不重要了，还有，祝你幸福。"

片儿尖从他身后走出来，按下了银色的灵法笔。

白光闪过之后，刘禹州看着呆立在那里的小林，轻轻叹了一声："走吧。"

在一条护城河边，片儿尖带着刘禹州从虚空中钻了出来。他看看四周，景色不错，就说："就在这里吧，赶紧，我赶时间。"说着，他再次掏出那个小黑盒子。

"等一下！"刘禹州又喊道。

"你又怎么了？"片儿尖有点不耐烦了。

刘禹州说："前辈，你难道就不能把我带回公司再处理？在外边你拘禁我的灵魂，还得抱着我的身体走路，多麻烦啊。"

"不麻烦，反正等下都要把你的身体送到医院去——你怕什么？是专门的植物人病房，公司要花钱的。"

"等一下，等一下。我还得去看一个人。"刘禹州赶紧摆手，制止片儿尖的动作。

"还有？你那个表姐你可是见过了！"

"不是她，真的。"刘禹州认真地说。

虚空中，片儿尖带着刘禹州走了出来——这里是一个小小的操场，有不少的运动器械。

"这是哪里？"片儿尖打量一下四周，问刘禹州。

"是孤儿院。"刘禹州回答。他的目光，远远地投向运动器械的一个角落。月光下，在那个角落里，站着一个小小的身影。

与此同时，苏苏也发现了刘禹州，她抱着那个大画本，冲着刘禹州欢快地笑，扬着手扑了上来。

刘禹州忘却了所有的烦恼，蹲下身，笑容满面，张开双臂，迎着苏苏。

"哦，是这个小丫头。"片儿尖应该也知道苏苏的故事，嘟囔了一声，就悄然后退，留出足够的空间来。

苏苏扑到刘禹州怀里，呜呜啊啊地说着，眼泪止不住地掉落，很快就浸湿了刘禹州的衣襟。两年过去，苏苏的模样似乎没有太大变化，就是长高了，眉眼也更见秀气，已经是个小美人了。

这两年来，刘禹州也通过各种方式尝试着给苏苏一些支援。希望能让苏苏过上更好的生活。也能够从网上了解到苏苏的一些情况，苏苏很聪明，学会了上网，还建立了自己的空间，偶尔会在空间里留下一段视频。她知道刘禹州会在某个地方随时地关注着她，只不过，再怎样也代替不了这样的相见。

八岁的苏苏，已经上学了，是刘禹州指名提供的赞助。一个少儿艺术学校，学习绘画。苏苏比画着，拿出大画本给刘禹州看。二人就这样坐在地上，在月光下翻看着画本。苏苏每一幅画都会给刘禹州解释。她的哑语学得很好，跟刘禹州更有着灵魂上的联系，二人比比画画，说得很是开心，不时会心微笑。

片儿尖在一边的单杠上盘腿坐着，看着这一对奇怪的男女。第一次觉得，刘禹州这个人还蛮不错的。

这些画有的是苏苏的习作，有的是她梦见刘禹州的活动场面，画法已经有很大的进步，不再是以前那种涂鸦，而是真正的画了，这一点让刘禹州很欣慰："我家苏苏就是天才。"

当然，他也指着那些关于自己的画，给苏苏讲述一下有关的故事，有的惊险，有的奇特，有的古怪，有的平淡，让苏苏听得津津有味。

一直聊了一个小时，才翻到了最后一幅画。

"这个是？"刘禹州眼前一亮，又是疑惑，又是激动地看向苏苏。

苏苏笑眯眯地摇着小手，冲他比画。

"嗯，嗯，我懂，我明白。"刘禹州连连点头。

在那张画上，刘禹州正在努力地向画面外奔跑，身形潇洒；在他身后，是一个形似魔王的黑衣人，黑衣人正伸出手，似乎要抓住他。而黑衣人的脚底下，正是苏苏那个小小的身子，她跪在地上死死地抱住他的大腿。

一瞬间，刘禹州有那么点恍惚。这个，难道是特异功能？苏苏这是能够预见未来了吗？知道我会遇到危险，要帮我脱逃？

他瞥了一眼苏苏那张如花一般的笑脸，心里有种说不出的滋味。

片儿尖从单杠上跳下来，往这边走："草花七，时间不早了，咱们也该动身了吧。"

刘禹州慢慢站起身，摸着小苏苏的头，把她的发卡端正一下，回答道："好的，这就来。苏苏，跟这个伯伯道别。"

苏苏很听话地站起来走向片儿尖，边走边比画，咿咿呀呀的，似乎在跟片儿尖打招呼。片儿尖那张扑克脸上也忍不住变换一丝温柔神色，弯下腰，和蔼地想跟苏苏说点什么。苏苏不管不顾地扑上去，牢牢地抱住了片儿尖的大腿。

"哎？"片儿尖愣了一下，一抬头，看见刘禹州撒腿飞奔，这才知道上了当。

"嘿，你这小子使诈。"他很是愤怒，想追上去，可苏苏在底下死抱着他的腿不撒手，他连步子也迈不开。只要他想，苏苏那个小身子肯定拦不住他。不过，他实在忍不下那个心，万一把小丫头伤着就麻烦了。

"哼，有你的啊，草花七。真有你的！"片儿尖冲着刘禹州的背影说，"你有种一辈子别让我逮到。行了，小苏苏，别抱着了，放开我吧，我不追了。"

苏苏努着嘴，怒目横眉，瞪着片儿尖，手里加劲。

"哎哎，我服了你了。真的，我说话算话，伯伯不追他了。你放手好了，这小子，倒是有好人缘。"片儿尖叹口气，干脆蹲下身来，把苏苏搂在了怀里。

4

时间匆匆，从刘禹州逃脱片儿尖的追捕回到美国，又过去了一年。

这一年来，他依旧从事着自己蜀山快递的业务。在一个特定的圈子里，也有了自己的名气。他的客户名单中，也不断地添加类似某国政府首脑，某位金融大亨，某个影视明星之类的人物。这让他的经纪人瓦加乐得合不拢嘴。依靠着刘禹州，瓦加的身份地位也有了明显提升，至少在他的组织里，他说话的分量越来越重。

在最近的几个月，刘禹州已经很少再接业务。

送快递，已经不能满足他的需要。需要什么，他自己也很难说清楚，只知道自己应该再找点别的事情来做做。那些快递什么的，只是一份工作，挣钱的工作。当他不再缺钱的时候，这个工作就应当舍弃。

他也越来越明白，当年 Q 姐说过的话——"有了这种能力，你的人生就与众不同了。"

正常人努力一辈子都办不到的事情，他可以在举手之间搞定，那种居高临下的优越感自然就会产生。刘禹州在每每开启空间门自由穿梭于地球各个角落之际，心里都会产生难以言状的感慨，就觉得这个世界与自己之间日渐隔膜，渐行渐远。总会恍惚间以一种超脱的心态，俯瞰芸芸众生，犹如人视蝼蚁。久而久之，世间的这些繁华、享乐、喜怒自然也就不再是他所考虑的东西。

他很迷茫，不知道自己该如何去做。用哲学的话解释，就是如何体现存在感。人活着总得有个念想吧，到底为什么活着。很多人到死都不会明白这个问题，甚至从来不考虑这个问题，那倒也是一种幸福。而有些人思考过这个问题，也找到了自己的答案，同样是一种幸福。但更多的人，是意识到了这问题，却找不到自己的答案，那就很悲催了。

《肖申克的救赎》里边有句话：世界上有两种人，一种人忙着生，一种人忙着死。在刘禹州看来，自己应该是忙着生的那一部分，境界上略高，痛苦度更高。因为他不知道自己为何而生。就这样浑浑噩噩，每天喝点小酒，傻傻晒着太阳？哪怕自己可以在全世界一百二十五座最高建筑上晒太阳，那也不过是晒太阳罢了。

刘禹州在洛杉矶城里暂时定居下来，找了一个很热闹的公寓楼住进去。他不敢再离群索居，怕自己一个想不开就抑郁了，还是接点地气比较好。这个时候，他突然隐约地理解了当年人生快递公司为什么要设立在闹市当中。

不过，过普通人的日子对他来说还是困难了点，起码工作就不好找。他也不是来自虐的，那种刷盘子、扛大包的事情他干不了，再说他也不属于跟那些更穷困的第三世界人民抢饭碗。

他倒是想做个行侠仗义的什么什么侠。

可惜在马路边等了好几天连个搀扶老太太过马路的机会都没等到，反而是引来巡警的重点关注。

想想也是，那些什么什么侠这么些年也不过就干了那点事情还都拍成电影了。日常生活还不得照样过，没瞧人家绿巨人都跑到丛林当业余植物学家了，好歹也算是个兴趣啊。

"我该干点什么呢？"

这一点让刘禹州十分困扰。

这一段时间，始终有一个念头在他心中徘徊不去——我是否应该谈一场恋爱？

　　小林，那个倩影总是在他脑海中顽固地占据着一个位置，即便他不断地暗示自己："忘记忘记，人家已经嫁人了。"可越是这样，反而记忆越深刻。时间够久远了，三年多时间，很多在一起的经历都模糊不清，只是依稀几个片段。但这些片段却不断地浓缩、合并，不断地自我巩固，或者说在心理学的意义上，还有什么自我美化的倾向，总之，形成了一个完美的小林形象，远远地高挂在空中，让他心生仰慕。这完美的形象不知不觉成为一个标准，每当一个女人来到他的身边，这个标尺就会自动地跳出来，上下左右地衡量一番。

　　干脆点说，他忘不了自己的初恋，这是很多男人一辈子的伤痕。当然婚姻什么的，刘禹州根本就没考虑，他只是想找个人来填补一下心灵的空虚，能够让自己爱一下，让自己享受一下为别人付出的那种幸福感。至于被爱，他没有想过，或者说，根本也不去想。对于他这样一个有秘密的人来说，被人爱是件很奢侈的事情，往往结局都会搞砸。

　　作用力与反作用力是相互的。这个物理学定律在爱情上同样好使。刘禹州当然不会不懂，他的这种单纯而自私的想法，在实践中是行不通的。

　　算了，还是不要去想这种不靠谱的问题，多想想自己以后的日子该怎么过。

　　上午十点都过了，刘禹州才从睡梦中醒来，看看身边躺着的那个睡梦中的黑发女孩，只盖着一袭薄被，露出大半个后背，显示着丰满的身段。回想起昨夜折腾半宿的激情，再想起清晨梦中出现的那个身影，一阵索然无味。这个女孩，他到现在都不知道叫什么名字，或许他不觉得这个问题本身有多重要。今天，至多到后天，她就将会被自己忘记。

　　他悄然下床，赤裸着身躯，来到厨房，随意地在冰箱里翻找着，看看有什么可以果腹的吃食。他拿出一份不知道搁了多久的纸盒，是比萨饼的纸盒，就放在桌子上，没有打开，愣愣地看着盒子上的标签。

　　标签上印刷着粗大的红色字体，送餐电话：4008123123。

这个号码，在他眼里，不停地变幻，4008517527，那个熟悉的号码，不断地浮现眼前。

在他恍惚不定的时候，书房里传来电子邮件的提示音，瓦加大胖子联系了他。

还是在胖子那间办公室。

这个高大的俄罗斯胖子在外间的沙发上和刘禹州面对而坐，很客气地给他敬酒。

"真是不容易啊，蜀山先生。我们合作四五年来，还是第一次这样坐下来聊天，请……"

刘禹州戴着蓝靛脸面具，从容地说："不要客气，你现在是我的客户，不是我的经纪人，我才会出现在你面前。说吧，你有什么委托？"

"哦，对对。真是这样。蜀山先生，我现在是你的客户了。哈哈，四五年来我一直都是替别人转达业务委托，今天，我还是第一次直接找你做事。不过，亲爱的蜀山，这半年，你好像状态不好啊，很多事情都拒绝了，让我的一些朋友，嗯，有些不太高兴。"

"没什么，我准备收手了。"刘禹州淡淡地说，"以后这样的快递业务我不会再接。今天是看在你的面子上。还是说说你的业务吧，也许这是我们最后一次合作了。"

"哎，真是太遗憾了。亲爱的蜀山，你的能力，我是说，要是没有你这个合作伙伴，我会损失很多钱的。"胖子一脸真诚，高声惊呼，"你要考虑清楚啊！其实这个市场还有很大空间，我们可以赚更多的钱……"

"算了，我没兴趣。其实你已经利用我赚了不少钱，我都知道，很多业务其实都是你在背后委托，送的那些货物，哼哼，我就不说了。说正题吧，我赶时间。"

胖子脸上掠过一丝尴尬，很快就端正了态度，保持着笑容说："好吧，这一次，我想请你帮我送这个。"说着，他从沙发底下，掏出一个小巧的手提箱，轻轻地放在茶几上。只有笔记本大小的手提箱上印着标准的俄文和俄罗斯的军方代码。

刘禹州俯身过去，用戴着手套的手在箱子上一按，有些不快，说道："瓦加先生，我记得你是了解我的规矩的，我不送军火。你这个是塑性炸弹吧，托你的福我学会点俄语，难道说你想让我替你杀人？"

"嘿嘿嘿……"胖子笑了，端起酒杯说道，"这个，也不能这么解释。亲爱的蜀山先生，我一直认为你的能量很大，只用来送快递，那是太浪费了。当然，我不是劝你改行当杀手，这个行当里面人太多，不缺你一个。只是，你要是可以的话，送一些可以杀人的东西，也未尝不可啊。"

刘禹州冷笑两声，站起身来："抱歉，规矩不能改。我是不会送这种东西的。"

"哎哎，蜀山先生，稍等稍等，听我说完。"胖子站起身来，伸手虚拦，说道，"你先听听我的条件嘛。我相信，我给你的条件会让你改变主意的。而且，我认为这个比送快递要有意思多了，你不觉得吗？给人送上毁灭，送上死亡的包裹……"

刘禹州愣了一下，缓缓转头，看向那个手提箱。

"有意思？"他仔细地琢磨着，"你是说，这样的生活会更有意思？"

瓦加放下了酒杯，很郑重地看着刘禹州，饱含蛊惑力的语调在他耳边响起："我理解你，蜀山。我们合作了这么久，我敢说我比这个世界上任何一个人都了解你。你有那种神奇的能力，让我猜猜，是隐身？还是空间门？对不起对不起，我不是在探究你的秘密。我只是想告诉你，你现在这个样子究竟是怎么回事。对，这个原因就是你有力量，却没有找到合适的释放力量的方法。你有着常人难以想象的能力，你无法再坦然地过那种平庸的生活，像个小职员一样上班下班，买报纸研究彩票……NONONO，那都不再是你的追求。你想要享受自由的、不受约束的生活，想要自在地享受你这个力量带来的快乐，而不是被它所制约，让你显得与这个现实格格不入。听我说，我的朋友，我认为你太压抑了，总是在琢磨着怎么把你的力量圈禁在笼子里，不对，真的不对！你在虚度人生、浪费光阴、浪费上帝，管他妈的是谁赐予你的能力。你知道什么样的事情才配得上你这种能力吗？让我，诚实的瓦加，你最可靠的经纪人来告诉你，是掌握别人的生死。想想看，一个人的生死，掌控在你手里，就在你一念之间……你只要花那么一点点心思，挥一挥手，啪！这个人就消失了，从这个地球上抹去了。在你面前，他们皆为蝼蚁，你高高在上，俯视着他们的挣扎，赐予他们平等的死亡。蜀山，我敢保证，你会从这种游戏中体会到快乐的，你将是有史以来最伟大的杀手。"

刘禹州沉默不语。隔着面具，瓦加也无从知道他是否被自己的说辞打动，心中反倒有些忐忑起来。

过了一会儿，刘禹州才低沉着嗓音说道："得承认，你这套鬼话很有煽动性。不过，我……并不像你想的那样渴求改变。我只想安安静静地过一段日子。"

"呼……"瓦加叹了口气，"真是遗憾啊，蜀山，真是遗憾。不过我想你会改变主意的。"

刘禹州站起身来："就这样吧，我先走了，最近不要联系我，我想休息。"

"哎，等等。"瓦加又叫住了他，"在你休假之前，这里还有个委托需要你处理。"

"什么委托？是快递？我不是说了嘛，我不想再做了，替我回绝吧。"刘禹州略有些不耐烦地说。

瓦加嘴角抽搐一下，眼神中闪过一丝戾光，微微地皱一下眉，转脸就堆上笑容说道："我觉得这个委托，你可以接触一下，对你现在的状态调整有好处。很特别哟，蜀山。"

"特别？有好处？有什么好处？"刘禹州倒是有了几分兴趣。

"是一个女人的委托。"

"乱来……"刘禹州不高兴了。

"听我说完。我觉得你现在真的很需要一个女人，好好地放松放松，这是朋友之间的关心啊，哈哈哈，当然我知道你身边不缺女人，但是那些都算不得数，她们为了你的钱而已，我相信你也明白。你不妨尝试着接触一些女性，今天我要给你介绍一个不错的女人。这个女人很年轻，很漂亮。更重要的一点，她还是你的旧识。"

"旧识？年轻漂亮的女人？"刘禹州疑惑了，眨眨眼，怎么也想不起来自己什么时候有这样的艳遇。

"那个西班牙女郎，索菲亚！想起来没有？哼哼，就是她。"

"哦……那倒是可以见一下。"刘禹州眼前，浮现出那碎花长裙、头戴草帽、白皙而修长的身姿。

还是在那家洛杉矶 Mr.C Beverly hills 酒店的行政套房里，眉目清秀、冷艳骄傲的索菲亚，端坐在长沙发上，高高挽起的栗色长发，一身无袖低胸的黑纱长裙，配上右手腕洁白的象牙手串，让她整个人显得仪态优雅，如同画中人一般迷人。那一双碧蓝色的眼眸，略带些挑衅的，正面直视着刘禹州。似乎想用自己的眼神在他那张鬼怪一般的面具上挖开两个洞来，好看清这个家伙的真面目。

面具男站在她的对面，中间隔着那张象牙白的实木茶几，他不动声色地打量着她。两年没见，这个女郎似乎变得更有魅力了，举手投足间，多了一份成熟的味道，更加善于把自己最美妙的一面展现出来，无时无刻不在用身体语言勾引着对方。尤其是那一对饱满坚挺的胸，在黑纱下若隐若现，怎是"撩人"二字了得。

"蜀山先生，"索菲亚很艰难地发出这个词，"我们终于见面了。"

没等刘禹州说话，她已经自顾着说了下去："两年前我们就该见面的，不过你放了我的鸽子。从那个时候，我就对你很好奇，这两年来，我一直在打听你的情况，不得不说，蜀山先生，你现在已经是个传奇了。"

刘禹州微微地点头，瓮声瓮气地说："谢谢夸奖。很抱歉当时让你白等一场，不过，那个时候你的举止实在谈不上友好。"

索菲亚轻轻地抿着嘴，略有些俏皮地说："没办法，蜀山先生，你也知道那一笔业务对我们家族的重要性，谨慎些还是有必要的，不是吗？当时你还夸赞了我一句，我很高兴。那么你今天见到我，觉得现在的我和那一天比起来如何？"

"更迷人，更漂亮。"刘禹州毫不犹豫地张嘴就来。第一，事实如此；第二，做业务嘛，总得有个职业素质，让客户高兴高兴，这是规矩。干一行就得爱一行不是！

"呵呵。"索菲亚笑了，那一瞬间刘禹州觉得眼前真的有鲜花绽放一般的绚烂。"艳光四射"，这个词真是太到位了。

"说实话，你那天只是夸我的裙子漂亮。"索菲亚微微昂起头，像一只天鹅，"我很气愤。"

刘禹州悄悄地深吸一口气，平复一下心中的躁动，把目光从那深深的乳沟中拔出来，投向索菲亚的脸庞："你该不会是为了跟我说这句话特意来的吧？"

"当然不是，这个只是附带的议题。"索菲亚手腕一翻，提了提散落的裙角，将修长的美腿遮掩起来，然后俯身从茶几下拿出了一只手杖，带有黄金狮子头手柄的手杖。

"我想请你，帮我送这个，蜀山先生。"

刘禹州没有伸手去拿，只是在那里冷静地仔细观察。如果没看错，这根手杖自己见过，应该属于那个美因茨家族的老族长。

"看来，你认出来了。"索菲亚很干脆地把话说明白，"没错，这根手杖是我爷爷的。我想让你做的快递业务，也就是把它送到我爷爷手中。他被法院判处了二十年的监禁，目前关押在州立监狱里。"

"你是说，你想让我把这么一根手杖送到州立监狱中？索菲亚小姐，你不会不知道那里是什么地方吧？号称美国看管最严密的地方！"

刘禹州暗地提高了几分警惕，像他这样的独行侠，行走江湖必须要时刻警觉，提防着无处不在的明枪暗箭。以前，有人类似利用送货之类的机会暗害自己的事情也是有过的。自己做的业务，成就了一部分人，自然也损害了一部分人的利益。他已经不是那个初到美国、豪情万丈、目空一切的前人生快递业务员了。几年来的遭遇，让他充分体验到了这个世界的残酷，个人力量是有穷尽的。肆意地将现行社会秩序踩在脚下，依仗他那逆天能力来获取利益的同时，他也时刻品尝着被整个秩序反噬的滋味。他之所以感到疲惫，也跟这种持续紧张无助的生活有关。

"你必须时刻保持警惕，对周围每一个试图接近你的人提高警惕。"这是他开始业务之初，瓦加胖子教导他的。诚然胖子是个恶棍，但是这句话非常有现实意义。

索菲亚听出了他话音中的言外之意，美目一挑，眼波流动，略带揶揄地说："怎么，怕了？我可是听说，蜀山快递的口号是无论何时，无论何地。莫非，我听到的传闻有误？"

刘禹州不动声色地哼了一声，淡淡地说："你可以相信我，送到什么地方都无所谓，但是我的原则是，谨慎小心，不惹祸上身。你得知道，有很多人并不喜欢我的存在，我可不想冒冒失失地闯进一个陷阱里去。一些情报我必须搞清楚，才能决定是否要接这单业务。"

"没问题。我欣赏你的小心谨慎，有什么话你说。"索菲亚斜靠在沙发扶手上，支起玉臂，手托香腮。

"这是什么？"

"手杖。好吧，实际上也不完全是手杖。看到那个狮子头了吗？里面有个机关，一个指纹锁，只有我爷爷可以打开的指纹锁。打开这个指纹锁，就能取出在狮子头里藏着的一份文件，关于我们美因茨家族秘密财产的文件。我只能告诉你这么多。这个是不是能为你解答我为什么费尽周折要请你帮忙的原因？"

"大概吧。"刘禹州迅速地思考着，眼神一直在打量着那根一米长的木质手杖。

"这个也给你。"索菲亚又从身边的一个小包里掏出一个小小的USB，放在手杖的旁边。

"这里是关于州立监狱的建筑分布图，也标明了我爷爷被关押的具体位置，以及我所能搞到的警卫安保情报，你可以核实。如果你不信任我的话。"

"谈不上信任不信任。"刘禹州稍微有些尴尬，听出了索菲亚语气中的不满。不过这些小小的言语刺激他毫不在乎。要不是看对方是个难得一见的美女，他很有可能打退堂鼓。

两年前，为索菲亚的爷爷送快递，那笔业务是他成立蜀山快递之后正式打响招牌的一单业务，正是那笔业务让很多潜在客户看到了蜀山快递的神奇能力，从而选择与他合作。这次还是美因茨家族，只不过合作对象，换了孙女，这也是缘分吧。刘禹州说不清自己到底是怎么想的，也许就让这一单业务成为一个结束，也是不错的选择。

"我会好好研究。"他说着，上前一步，伸手拿起了那根手杖，也拿起了那个USB。

索菲亚说："这么说，你是接下来这笔业务了？"

"嗯。请问还有什么要求？比如说时间限制？"刘禹州询问道。

"时间上，你觉得多长时间可以？"索菲亚似乎摆出来一副完全信任刘禹州的架势。如果她开口要求二十四小时之内，刘禹州会断然拒绝。他必须给自己留出足够的时间来查看现场，确保不会中了什么圈套。

"我觉得，至少要一周时间。"刘禹州沉稳地回答。一周时间，自己有绝对的把握摸清情况，做到万无一失。

"好吧，我相信你。"索菲亚很痛快地点头答应，"不过……我还有个小小的请求。"

"你说。"

"我想请你，嗯，把手杖里的东西给我带回来。我知道，这样的话相当于两笔委托，没关系，你可以按照这个标准来收费，或者价钱随你开。"

刘禹州闻言暗暗松了口气，刚才他就在想这个问题。如果索菲亚不提，那么他有理由怀疑这个业务的真实目的。

"唉，做点事情真累，这样的日子不能继续下去了。"刘禹州一边感到安心，一边无奈地跟自己说道。他无比怀念在公司里的那段时光，同样是送快递，可那个时候自己从来也没有这么累过，虽然时常感到郁闷、压抑，可那都是自己给自己找的别扭。抛开这些，其实业务做得还是很快乐，很有成就感的。

"往返吧，我会按照往返业务标准来收费，收费标准你都清楚了吧？"刘禹州说。

"清楚。"索菲亚嫣然一笑，从沙发上站起身。她款步走到刘禹州身边，微微侧身，展露出迷人的曲线，一股淡淡的香气，暗地里挑拨着刘禹州的情愫。她伸出手臂，用那白皙修长的手指，轻轻挑在刘禹州的面具下巴上。刘禹州眼神中射出的冷光拒绝了她进一步的试探，让她知难而退，她完全想不到刘禹州做这个无声的动作时心中忍受着多么大的煎熬。再怎样冷静小心，刘禹州也是个正当轻狂的青年，对送上门来的美人保持淡然，实在很考验定力。

"我希望你能平安归来，带回我需要的一切。"索菲亚低声说，声音听起来无比性感。

"还有，"她稍微一顿，眼波流动，在刘禹州脸上打了一转，"我很好奇，你这张讨厌的面具底下，到底是什么样子……"两人身体挨得极近，以至于隔着厚厚的工作服，刘禹州都感到那一对饱满的凸起滑过自己的手臂。

当天晚上，刘禹州冲进自己常去的一家高级会所，找了两个洋妞，狠狠地发泄了一把。

无论什么社会，特权阶级总是会受到与众不同的待遇，哪怕是犯了罪，关进监狱，也是如此。

美因茨家族的老族长就是如此。虽然他因为种种原因，不得不进入监狱服刑，但是在监狱中，他也是最特殊的那一小簇人之一。他有自己的单人牢房，是一个相对封闭的小院子，有几个房间，里面有齐全的生活设施。可以上网，虽然必须经过层层的监控；他有自己的专用厨师，偶尔还可以叫外卖，请世界上最好的酒店大厨来给自己做菜。他的行动也完全自由，只要他不出圈，在那个划定的小院子里，随便他怎么玩。甚至，专门的两个保镖也一同进入监狱陪伴着他。

当然为此他必须支付一大笔费用给监狱方，这些都是小意思。

他已经七十多岁了，个人生活方面真的没什么更多追求。他现在唯一的想法，就是不要死在监狱里，二十年的刑期，上帝，他肯定是活不到刑满释放的那一天。

他委托了庞大的律师团在外边活动，动员了很多社会关系，希望能够减刑，或者是监外服刑。他也知道，这个希望不大。有朋友帮忙，也就有仇人捣乱。他被迫服刑已经很能说明问题了。还有更多的人在盼望他死，可惜，没能如他们所愿，比如说那个白痴一般的州长。

人老了，觉就轻。朦胧之间，他从睡梦中警醒，感觉到卧室里有那么点不寻常的变化。

他没有开灯，也没有叫人，只是慢慢地从床上坐起来，倚靠在枕头上，努力地四下观察着。月光如水，从屋顶的天窗照射下来。这毕竟是监狱，有个天窗已经是很奢侈的行为了，总不可能真的搞个带落地窗的别墅建筑来。

屋子里有人，他第一时间就判断出来了，这是他几十年来摸爬滚打的直觉，从来都没有失误过，这次也一样。虽然他老眼昏花，看不清身前一米远的地方。

"谁？谁在那儿？"他凭着感觉把头扭向那个方向。

"你好，我是蜀山快递。美因茨先生。"一个陌生，却又似乎熟悉的声音在那个地方响起。

"你可以开灯，没关系的。"那个声音继续说。

美因茨老头哆嗦着手，摸到枕头边的开关，使劲一按，打开了台灯。顿时屋中一片光明。他眯起眼，适应了片刻，这才逐渐看清了眼前的情形。

那个神秘的面具男，穿着那身蓝色的工作服，带着古怪的蓝脸面具，就站在距离自己床边不远的地方。

"你？怎么是你？"美因茨迅速地判断着这个家伙的来意。

"我是来给你送快递的。"刘禹州从身后的背包中抽出那根手杖。说实话他很怀念公司的那种信封，无论多大的东西，只要往里一放，都能装进去，很省事。不像现在，要带点东西必须得有大背包，否则就很累赘。

美因茨老头一看到这根手杖，那昏黄的眼眸中就陡然亮起一丝精光，整个人也立刻变得振奋起来，如同被打了一针兴奋剂。

他掀开被子，动作迟缓但是坚定地下了床，就那么光着脚走向刘禹州，冲着他伸出手去："给我吧。"

刘禹州奇怪地看他一眼，觉得有哪里似乎不对。他也没有多想，再说也没必要多想，他就把手杖递到老头的手中，说道："你也是我的老客户了，能再次为你服务，这也是缘分。"

老头没有理会他的这些场面话，只是一把攥住了手杖，拿在手中，仔细打量，就像在打量自己走失的孩子。那目光中，饱含着无数复杂的情绪。过了片刻，老头才说："很好，真是谢谢你了，蜀山先生。没想到，在这个地方，我们还能有机会见面。是我孙女让你送来的吧？"

他一手抓着手杖的杖杆，另一手摩挲着那个黄金狮子头。

"哦，是的。我想你应该知道她为什么把这个给你送来。"

老头饶有兴味地看了一眼刘禹州，低头继续爱抚着自己的宝贝，淡淡地说："她还有话让你带给我？"

刘禹州心底隐约觉得有些不安，也不知道是哪里不对，但就是有这种感觉，他觉得需要节省时间，早点完事回家："她希望你打开这个指纹锁，把里面那份文件取出来，我负责带回去给她，就这么简单。

不过，如果你拒绝，我也会如实地汇报她，这是你们家族内部的事情，我只是个送快递的。不管你怎样决定，都请你尽快，我赶时间。"

"哈哈……"老头仰头笑了一声，说，"放心，我不会耽误你多长时间的。这个决定我早就下了。"

"哦？"刘禹州看着这个老头，下意识地提高了警惕。

"蜀山先生，知道为什么索菲亚把这个手杖送给我？你不清楚，索菲亚骗了你，这个手杖对我来说，只有一种用处！"

情况不妙！看着老头一脸的狰狞，刘禹州立刻反应过来，那女人骗了自己。

虽然刘禹州知道，这个时候他就该赶紧跑路，不该那么多废话了，但他还是忍不住，一边慢慢后退一边说了一句："什么？"

好奇心害死猫啊。他只觉得不问出这一句他晚上睡觉都不安稳。

"死亡！"

听到了这个答案，刘禹州本就该赶紧撤退。可无巧不巧的，老头多说了一句："知道索菲亚为什么还要特意告诉你，把所谓的文件带回去？"

刘禹州已经退到了门口，第一个反应就是开门出去，管他是死是活。可这个问题毫无疑问地勾起了他的好奇心，他真的是很想知道答案，何况，他迅速地判断了一下，觉得这个老头实在没有什么能威胁到自己的地方——叫人？报警？还是掏枪？都不太成立，倒不妨听听，于是他又停下来，问了一句："为什么？"

"因为，她这是在告诉我，要让你一起死！"

老头狞笑着，大拇指用力在狮子头上按下去，一按一拧……

一片白光，剧烈的爆炸，随之而来的是震耳欲聋的声响！

在被炸飞的那一瞬间，刘禹州第一个反应就是："老子饶不了她！"

一个星期的时间，足够让州立监狱爆炸事件的影响力降低到政府足够应付的地步。各种版本的调查报告在媒体上真真假假地公布着，满足大众的知情权，或者说是好奇心。

"发现了某种强力的特效炸药残留物，这种炸药只有专业的情报机构才会使用……"

"现场破坏得很厉害，无法判断到底有几人死亡……"

"爆炸地点据说是监狱中关押特殊犯人的独立监室。"

"州长宣布组织独立调查组进驻，彻查监狱……"

在遥远的西班牙马洛卡岛，索菲亚在自家的海滨别墅中焦急地等待，等待着手下给她带来那个让她安心的消息。可是事与愿违，所有能够搜集到的信息，都无法满足她的要求。

那个人到底死没死，始终是个谜。

她站在面朝大海的阳台上，只穿着一件浴袍，对着手中的卫星电话不客气地叱责："必须查清楚，我再告诉你一遍，到底是几具尸体。我要确切的数字，我要确切的身份证明！我不想听这些推测。"

她愤愤地把电话扔在一边的躺椅上，对这些没用的手下失望至极。或许是自己的权威还不足够让他们不折不扣地执行命令。家族里那些元老们还在背地里抵制着自己，这让很多人选择了观望，对自己这个名义上的家族继任族长缺乏敬畏。

"也许，应该采取一些清洗的手段了。"

索菲亚暗暗地叹口气，看着夕阳下的海滩。洁白的沙滩上，有几个人影在看似散漫地散步，实际上是她的保镖们在巡逻。这方圆几公里的地盘，都属于美因茨家族所有，布置了数不清的监控设备，还有一队二十人的保安，设立了若干个哨所日夜不停地进行警戒。

在这栋临海的别墅中，里里外外还有八名贴身保镖时刻待命。这些人都是她亲自挑选出来的，训练有素，身经百战，最关键的是对她忠诚，当然她给的佣金也很可观。

她整理了一下被风吹乱的长发，走回屋内，进了浴室。她要好好地泡个澡，放松一下，仔细地考虑下一步该怎么做。从爷爷在家族会议上亲口宣布自己成为继任族长的那一天起，她的每一天过得都像是一种煎熬。她甚至开始后悔，当初不该为了证明自己优秀，选择跟着爷爷出来管理家族事务。像自己的那几个堂姐妹，或者是若干个表哥表弟，拿着家里给的钱，什么都不用操心，自由自在地过舒服日子，不也挺好！哪怕是像自己的亲哥哥一样，进入家族下属的公司当个高管，也不错啊。谁知道自己那几年是中了什么邪，偏偏要选这样一条路，选择了去负责家族的那些隐秘事务。难道就是像那些元老说的，因为自己有野心？

可上帝作证，自己从来没想过有一天要当族长，以前只是觉得，那种钩心斗角，那种刀光剑影，那种欺骗诡诈，真的很好玩而已。还记得第一次杀人，亲手把一针毒药注射进一个家族叛徒的体内时，自己那种惶恐、恶心，整整一个礼拜都没能好好地入睡。而伴随而来的却是发自内心的一种满足感……索菲亚把头深埋进泡沫汹涌的浴缸里。

还是爷爷陪着自己，安慰自己，才让自己走出了杀人后的心理阴影，让自己从此能够坦然面对剥夺他人生命的那种场面。自己喜欢这样的生活，喜欢把别人踩在脚下，左右他们的生死。

回想起这几年爷爷对自己的教诲、爱护、期望，种种严厉的训斥、温柔的安慰、循循善诱的启发、无微不至的关怀，索菲亚的眼泪就不争气地再次涌出。

“原谅我，爷爷。原谅我这么做。”她喃喃道。

“你爷爷会原谅你的。”一个声音，一个令她恐惧的声音，突兀地在浴室里响起，让索菲亚惊恐地抬起头来。

刘禹州站在她的浴缸旁边说：“可我，就不一定了。”

仍然是那一身独特的快递员打扮，只不过，他的面具换了，红底勾黑脸，额头有蓝纹，“眼如点漆发如虬，唇如猩红髯如戟。看澈人间索索徒，不食烟霞食鬼伯”。

如果索菲亚对中国古老的京剧有研究，就会知道，这个脸谱是钟馗，中国神话中的捉鬼天师。

"是……是你？"索菲亚透过朦胧的水汽，看清了站在浴缸旁边、正肆无忌惮地看着自己的刘禹州。那种饱含戏谑和侵略性的眼神，让她一阵阵地感到浑身发冷。

"对不起，让你失望了。我没有死。"

索菲亚在短暂的失神之后，迅速地恢复了理智，放弃了呼救，只是轻轻地挥动手臂，将浴缸中的泡沫扫开，让自己那引以为傲的身姿隐约地显现出来。

"很高兴能再见到你，蜀山先生。我想，我们可以……谈谈。你是不是允许我先穿上衣服？这样打扰一个女士洗澡，可是很失礼的。"

刘禹州眼都不眨地盯着她："没关系，就在这里谈，就这样谈，我觉得很好。不用太长时间，你大可放心，不会让你感冒的。"

"你想谈什么？"索菲亚很干脆地把话题挑明，顺势把手搁在浴缸的大理石台上，让一半的玉乳浮出水面，显示出真材实料的饱满身材。

"谈谈我的损失，索菲亚小姐。"刘禹州的眼睛毫不避讳地盯上了那饱满顶端的嫣红，不过，只是那么略带欣赏的一眼，随即就再次看着索菲亚的脸，认真地说道。

"损失？请原谅，我不明白你的意思。"索菲亚纯真的眼神，眨也不眨地看着刘禹州，似乎后者说了什么非常不妥当的事情。

刘禹州"嘿嘿"一笑，指了指自己的脸："看这个，索菲亚小姐。看到没有？我换了面具，原来的那个被毁掉了。怎么毁掉的，你也清楚。对了，顺便普及一下我们京剧的知识，原来的那个蓝脸，叫作窦尔敦，是个侠盗；现在这个红黑脸，叫作钟馗，是个捉鬼的天师。哦，在你们西方的概念里，可以理解为地狱的使者。"

一边说着，刘禹州一边从兜里掏出一颗类似于手电筒一样的圆柱体，有婴儿手臂粗细，手掌长短，外表浅黄色，似乎是一种胶体。

"你……你要干什么？"索菲亚看他掏出这个东西，忍不住喊叫起来。难道这个家伙有某种变态的习惯？要用那种东西来折磨自己？她下意识地把手抱紧在胸前。

"哼，不得不说索菲亚小姐你见多识广。放心，我没有那种不良嗜好，更确切地说，我根本没有任何和你发生肉体接触的欲望。知道吗，小姐，我一看到你，就会想起那次爆炸，轰隆隆……我在床上躺了两天才能自由活动。要不是我有神奇的能力，你的计谋真的就得逞了。"

刘禹州想起这段，肋骨就隐隐作痛。那一下要不是自己的工作服有超强防护力，就很危险了。即使这样，身体还是内出血了，强行逃离现场之后，足足养了两天才算恢复。刘禹州心眼不大，更何况他本是打算以那一单业务作为告别旧日生活的句号，投入地去做了。

这样一个结果，对他而言，伤害非常大。"人无害虎心，虎有伤人意！"这几天来，反反复复，脑子里这个念头就是挥之不去。

刘禹州把玩着手里那个圆柱体，看似漫不经心地问："我就不明白，索菲亚小姐，你给你爷爷送上那么一个要命的礼物也就罢了，毕竟那是你们家族的事情，这种……怎么说，大义灭亲的勾当我也见过不少，可你为什么要暗算我？为什么也打算把我一起干掉？"

索菲亚稍微愣了一下，长叹了一声："这个结论，是你自己判断的？还是我爷爷告诉你的？"

"是你爷爷临死前，多说了那么一句。感谢他，临死前让我明白了个道理。"

"哦？"

"最毒妇人心哪！要不是他说破，我可能也不会想到你这里面还把我也绕进去了。"

"哈哈！"索菲亚无奈地笑了，"爷爷，看来你死得也不是很心甘情愿，一定要留给我点麻烦啊。可这些，不是我们都约定好的吗？你答应过我的，只要我觉得有必要，就可以执行这个计划？你应该知道，要不是被逼无奈，我怎么会选择真的这样做？蜀山先生，你听明白了吗？这原本就是一个预定的计划。我爷爷跟我约定了的，只要在我觉得有必要的情况下，就送给他这根手杖，也就是说明，家族到了一定的时候，需要他付出生命。手杖是爷爷亲自做的，就为了这一天。"

刘禹州无所谓地看着她，说："我猜到了。这不关我的事。我只想知道，你为什么会把我也算计在内？我好像跟你们没有什么瓜葛吧，我只是一个送快递的。"

"不为什么。"索菲亚干脆往浴缸边檐的靠枕上一躺，平静地说，"有备无患而已。这种事情，知情人越少越好。干我们这行，要把每一点可能的错误都消灭在萌芽状态。"

刘禹州无言地摇摇头，甩手，把那个胶状柱体扔进了浴缸。索菲亚手忙脚乱地在水里捞着："你干什么？这是什么东西？"

刘禹州慢慢地向后退去，冷酷地说："听到你这个答案，我很伤心，不过也证明我所想的没错。你这样的人，确实有不拿别人生命当回事的资格。不过呢，正如你一样，我现在觉得，我应该也有这个资格。哦，捞上来了，看起来很独特？放心，不是那种玩具，我没那么无聊。这是我特意向瓦加借来的，俄罗斯特产，高能塑胶炸药，被激活后爆炸，威力不比你爷爷的那个手杖差！哼哼，时间到，祝你愉快！"

说完，他掏出一支银色的笔，轻轻按下，随即一个闪身，蹿出了浴室。

在他身后，索菲亚捧着那根胶状物，惊恐万分地大叫："不！"

5

夜色如水。刘禹州站在一栋高楼的天台上，俯瞰着美妙的城市夜景。他慢慢地掏出手机，拨通了瓦加胖子的私人电话。

铃声响了几遍，电话那头响起瓦加气急败坏的声音："拜托，蜀山先生，现在是夜里两点——"

"瓦加，你上次说的那个死亡包裹，我想可以试试。"刘禹州冷酷着脸打断他。

"什么……等等，你说什么？"瓦加显然还处于不太清醒的状态，有点发蒙，但很快就反应过来，狂笑了一声，得意地说，"哈哈，我就说嘛，蜀山，你会想通的。太好了，我会安排——"

"知道窦尔敦和钟馗之间的区别吗？"刘禹州打断他，随意地问道，抬头看着满天的星斗。

"什么？什么和什么？"瓦加一头雾水。上帝作证，连这两个奇怪的名词他都是第一次听说。

"你该好好了解一些京剧的。"刘禹州挂断了电话。

第二天夜间，光头帮重要成员，年轻一代的既定领袖格里戈里耶维奇在自己的家中遭遇炸弹袭击，粉身碎骨。瓦加临危受命，接管了格里戈里耶维奇的大部分事务，上升为家族的重要干部之一。经过反复缜密的调查，证实爆炸来源是位于格里戈里耶维奇床下的一颗定时炸弹。但这颗炸弹是怎样通过几道严密的保安措施装到房间里的，始终是个谜。当天在格里戈里耶维奇家中执勤的三十几名保镖和侍者全部被处死。

在这之后的一段时间，类似的爆炸事件时有发生，原本已经淡出人们视线的蜀山快递再次受到关注。只不过这一次，蜀山快递送的不再是物品，而是死亡通知书。

不知不觉，刘禹州的杀手生涯过去了三年，已经是他逃离人生快递的第六个年头。

蜀山快递的名声在全球黑社会是禁忌。

在各国安全部门的通缉要犯名单上，这个名字的排序也相当靠前。

其实，要不是这个死亡快递使者偏爱使用爆炸物来处理问题，他的存在倒是让安全部门很有些赞同，毕竟这家伙干掉的对象主要是一些臭名昭著的恶棍和黑帮分子。据说他有个什么"三不碰"的原则，不知道是真是假。可使用爆炸物，这种潜在公共危害性实在让相关部门难以坐视，谁敢保证他不会心血来潮制造个某某大楼爆炸案什么的？

当然，随着名声渐显，对他的追捕也就愈发严厉。不单是政府在追踪他，凡是那些被他干掉的人物，或多或少，身后都有一票人马他们也在不遗余力地寻找他。他的日子并不好过，销声匿迹近半年了。即便是原本一直为蜀山快递做经纪人的瓦加胖子，也很难联系到他。当然，这一年来，瓦加已经在各种场合下主动撇清自己与蜀山快递的关系，他的身份不同了，必须要注意影响。有时候，瓦加真的盼望这个家伙就此消失了才好。

蜀山快递带给他很大的利益，这不可否认。但是，现在的瓦加可以把这支威力巨大的枪好好地收藏起来了。

"他最好找个地方悠闲地过自己的小日子吧，随便哪里都好，只要不再来打扰我。"瓦加偶尔想到那张恐怖的鬼脸面具，就会暗地里这样祈祷。

可事情偏偏往他不希望发生的那一面发展。

这一天，瓦加胖子接到蜀山先生的主动邀约，要共进晚餐。

"你选地方，我定时间。"刘禹州不容拒绝地在手机里说。

这个邀约让瓦加很是莫名其妙。虽然，他已经成为光头帮第一大佬，手底下有上万人可以随时为他去死，他也可以随时决定让其他人去死，但是在面对这位蜀山先生的时候，他总觉得有些气短。已经过了那种打打杀杀的时代，他的身份也让他本能地抗拒与这样的神秘人物有什么密切的交往。况且最近他很忙，和越南黑帮的争斗如火如荼，双方都杀红了眼。这个时候，出去赴约，真的不是一个好选择。

不过，蜀山先生的邀约，他无法推脱。天知道拒绝了他会有什么后果。在这个世界上，如果说找一个最了解这个面具男的人，那无外乎两个：一个是美国FBI的特别调查官老汤姆，一个就是他瓦加。哦，现在已经只剩下一个，汤姆前几天被一颗炸弹干掉了。瓦加从特殊的渠道了解到，这颗炸弹是在汤姆的办公室里爆炸的。

"这个男人很危险，如果没有本事一下子就把他干掉，最好还是不要招惹他。"这是瓦加的心里话。而且他很伤心地发现，自己从来就没能找到一下子干掉蜀山的办法，上帝作证，六年了，他一直在找。

瓦加选择了一个自己最熟悉的饭店作为会面地点。提前三天——面具男很慷慨地给他一个用来设防的时间——把饭店上下里外检查了个遍，临时设定了三个电子监测站，实时监控，保证每一只进出饭店的耗子都有编号。瓦加还包下了整层餐厅，所有在餐厅中吃饭的客人全部由他最信任的手下扮演。他贴身带着十个保镖，毫不掩饰地站在他身后，摆明了对这位面具男的忌惮。

"这年头，不能不小心，尤其是我这样的，人多了点，希望你不要介意。"瓦加很随意地向蜀山先生解释，起身和他打招呼，"很久没见了，蜀山先生。"

突然就出现在餐厅门口的蜀山，把所有保镖都吓了一跳。各个岗位一片狂乱，吼叫声不断。三个监测站互相谩骂，推卸责任，摔打着昂贵的电脑仪器。从三条街之外到进出大门之间的各个岗哨无不被上级骂得狗血喷头。

"他到底是怎么出现的？难道他是隐身人？"

"这个，真有可能啊，最好躲远点，小心再小心，别溅一身血。"所谓稍微了解点内情的家伙都是这样猜想。

"狗屁的隐身人，我不信。绝对是你们失职了。"那些想出人头地、搏一把的野心家们这样想。

瓦加对手下的这些反应倒是没有什么表示，他早就知道会这样，这位蜀山先生的神异之处他很早就领略到了。他甚至猜出这个面具男会一种空间魔法。

"这样的妖孽，不应该存在于世的。"瓦加憨厚地笑，左手悄悄地摸了摸胸前挂着的那个银质十字架，那可是东正教大牧首亲自加持过的，值不少钱呢，多少得有点用吧。

刘禹州平静地站在那里，举高双手，任两个大汉上下其手，搜遍全身，除了一部手机和一杆银色的签字笔他们什么也没找到。

等搜完了，瓦加才和他握手，很抱歉地说："不好意思，蜀山先生，你知道，他们也是为了我的安全考虑。毕竟，我现在大小算个领导了。"

"我理解。"刘禹州坐在他对面淡定地说。

简单地碰了几次杯，上了几道菜，随意地说了些场面话，刘禹州进入了今天会面的正题。

"主要来感谢一下你。"刘禹州说。他戴着面具，只能简单地喝点饮料，并不碰那些看起来很美味的菜肴。

"感谢我？"瓦加抬起头来，拿起餐巾边擦嘴角边说道。

"这几年来，我按照你的建议，体验了一下生活，有时候，感觉还是不错的。确实比送快递的日子要有趣多了。虽然我这么说对那些死者不敬，但是，怎么说呢……只是我个人的体会，在可以剥夺别人生命的那种时刻，我很邪恶地感到兴奋。"

"哦。"瓦加不知道该怎么评价，只能点点头。虽然他自己手里人命不少，也是视人命如草芥的黑道大枭，不过像这么冷血的表述他还做不到，起码表面上做不到。他皱皱眉，隐约觉得这个面具男有变态的倾向，或者今天这个会面根本就是个错误。

"不过，我并不觉得这是正确的选择。"好在刘禹州接下来的话让他稍微放下了心。

"我决定收手不干了。你知道吗，每次我送完快递，都会很沮丧，因为我觉得自己越来越不像个正常人。这种感觉很矛盾，杀戮产生的兴奋和对自身行为的罪恶感搅和在一起，让我更加空虚，这一段时间，我都没怎么睡好觉。"刘禹州不疾不徐地说着，似乎在说一个不相关的人。

听在瓦加的耳朵里，却让他禁不住毛骨悚然："好吧好吧，亲爱的蜀山，你要不要去看看医生，我有个很棒的心理医生，在瑞士，我可以介绍给你。你这个很正常啦，我们这行，呵呵，手里有人命的，多少心理都会有问题。黑道怎么了，黑道也是人不是？我可不想你成为一个变态，哈哈哈。"

刘禹州浅酌了一口葡萄酒，说："这个主要是我自己的问题。看来我的路还是走错了。这种追求刺激来获取自身存在感的日子，让我更加体会到生命的无聊。知道吗，瓦加，我都有点厌世了。"

"厌世好啊，你干脆自杀算了。"瓦加无比邪恶地在心里这样喊着。这个面具男曾经带给他无数的利益和助力，但现在他已经登顶，这些手段就不再重要。相反，他确实很想把这种超出自身掌控的变数扼杀掉。

表面上，他还是做出一副关心的样子，说道："你这个决定，我支持。你不如先休息一段时间，有好的地方吗？我可以推荐。现在我怎么也是能做点主的。阿拉斯加怎么样？到那里去钓鲑鱼。"

"谢谢了，瓦加。这六年来，我们合作还是很愉快的。为此我特意请你这顿饭，表示感谢。怎么说，算是为我们之间的合作画上一个圆满的句号吧，请。"

刘禹州举杯示意。"瓦加！"他放下杯子又说。

"怎么了，亲爱的蜀山，还有什么要我帮忙的？你知道，我可是最爱帮助别人的。"瓦加笑眯眯地说。

"我有没有跟你提起过我的家人？"

"家人？"瓦加眯缝起眼睛，盯着对面的面具男，不明白他这个话是什么意思，"哦，那倒是没有。说实话，蜀山，要是你不提，我真的以为你是上帝派来的天使。"

刘禹州不动声色，没有在意这个小小的恭维，很难得这位黑帮大佬还有这个心态，可以开开玩笑。

"我有家人，都在中国。"

"啊？是吗？"

刘禹州仿佛不经意地摇动着酒杯，任那浅浅一层酒液在里边旋转出一团妖艳的旋涡。

"知道吗，一个礼拜前，我在街上看见了我的表姐。真是奇妙！这个世界说大很大，家人亲朋一转身就再难相见；说小也小，走在街上都会迎面相逢。她本来在国内，生活得好好的，工作也不错，当记者的，身份地位、收入都算得上上层人士了。三十多岁一把年纪，却不知道抽了什么风，来到美国读博士。还嫁给个美籍华人，那人还是个二婚，有个三岁的女儿。哈哈，真是闪电般的速度，从相识到结婚只有一个月。这在美国是不是很平常？"

"这个，应该是完全正常的吧。你知道我是俄罗斯人，对美国文化也不是太了解。怎么，是那个男人有什么不妥？放心，相信我，我都可以帮你摆平。"瓦加豪气地说。

"那倒是不必了。哈哈。你知道吗？他死了，他们一家子都死了。就在四天前。"

"死了？"瓦加眨眨眼，惊奇地问，同时隐约感到有什么地方不对劲儿。他隐晦地冲自己的保镖做了个小动作，让他们戒备。他放下了刀叉，坐在座位上，看着刘禹州，眼神渐渐冰冷。

"对，死了。"刘禹州没有理会他的小动作，给自己倒满一杯酒，接着说，"四天前，他们死在那场超市枪战里面。对，就是你们光头帮和越南帮开战的那个超市。据说死伤上百，大部分是平民，其中就有我这表姐一家三口。"他仰头一口干掉杯中酒。

"哦，那真是不幸。"瓦加保持着笑脸，但怎么看都显得那样狰狞，"太遗憾了。不过，生死有命，对吗？"

周围的保镖已经慢慢朝刘禹州靠拢过来，保持着一跨步就可以制服他的距离。

刘禹州拿着银质的餐叉，在镶着金边的瓷盘上轻轻地敲击，发出悦耳的叮当声："是啊，生死有命。对于他们的死，我只能表示遗憾。只是感觉生命很脆弱，刚才还好好的人，就那么没了。多好的人啊，在我上大学的时候，表姐一直是我的偶像，我没少花她钱。"

瓦加稍微松了口气，假模假式地安慰道："节哀顺变，蜀山先生。干我们这行，对生死一定要看开一些。相信我，我也为你这个表姐的遭遇感到难过，真的，我也不想这样的。"

"嗯，这我明白。"刘禹州点点头。他把餐叉放下，抬起头，拿出来那支银色的笔，很认真地对瓦加说，"但我可以为她做点什么，虽然她并没有给我委托！这张死亡通知书，请你签收！"

瓦加大骇，立马站起来，口中大喊："保护我——"

"轰隆！"一声闷响，一道火光闪过，瓦加座椅底下的一颗炸弹剧烈爆炸。

这颗炸弹显然是定向式爆炸，全部的威力都集中在上方，只限定在半径五十公分的圆内，强烈的冲击波将瓦加肥硕的身子撕裂成几块，血肉横飞，那一身特制的防弹衣没有半点作用。

刘禹州举起银色笔，向四周那些被炸弹震晕的保镖和食客们示意："选择遗忘吧，你们这些罪人！"

一道白光闪过，那些人在接触到白光之后，全部陷入了一种迷茫状态，站立在原地，不能行动，随后丧失了部分记忆。

"怎么回事，怎么回事？"周围那些监控站的屏幕上一团花白，失去信号，来往通讯中充斥着各种询问和吼叫，还有各种腔调的骂娘！

三十秒之后，那些聚集餐厅中的人才逐渐清醒过来。

可刘禹州早已不知去向，现场只留下一片血腥。

当天晚上，在城郊一处警察局下属的临时停尸房内，刘禹州从空中踏出。

他拉开一个冰冻屉柜。里边躺着一具华人女子的尸体，正是他的表姐陈薇薇。她冰冷的面容有些扭曲，还保留着几分对世间的留恋，对死亡的恐惧，满头黑发不自然地铺在身下。

"姐！"刘禹州对着尸体轻声说，"我已经替你把死亡通知书送到了。虽然我知道这对你并没有任何意义。"

他望着尸体那苍白的面容，长叹了一声，把一枚戒指，瓦加佩带的那枚骷髅戒指放在尸体的耳畔："一路走好！"

"到底他是怎么做到的？"负责调查这件爆炸案的 FBI 高级探员和当地警方联合成立破案小组。小组特别邀请了一直在追踪蜀山先生的 FBI 探员老汤姆的儿子小汤姆参加。这个同样是 FBI 成员的年轻人发誓要把涉嫌杀害自己父亲的凶手绳之以法。

炸弹是一早就埋伏好的，类似一个香烟盒大小，安装在座椅的下方，采用遥控引爆方式。这种军方特制的炸弹爆炸力超强，而且定向控制精确。现场那张座椅中央被炸开一个篮球大小的洞，瓦加的尸体散落下来砸坏了不少餐具，除此之外，没有损坏其他物品。

顺便说一句，这个炸弹还是瓦加提供给刘禹州的呢。

从瓦加那些手下提供的材料显示，至少在案发两个小时之前，这个餐厅就被封锁了，没有任何人能够进出，里里外外的搜查至少做了三遍，当时绝对没有发现这么一个炸弹。

面对怀疑，瓦加的保镖头目很不忿："请相信我们，我们也是专业人士，怎么会犯这么低级的错误。"

而餐厅提供的监控录像也显示，当天没有可疑人员到过这张餐桌附近。

"这是很神奇的事情，有传说这个蜀山先生会隐身术，我想大概是真的。除此之外，我找不到合理的解释。"小汤姆废寝忘食地研究了三天之后，无奈地得出这么一个结论。

当然，调查也有一定的突破性进展。起码，这次找到了这个蜀山先生杀人的动机。

只要有线索，那就一切好办。

极短时间内这个瓦加的身份就被调查得一清二楚。

现场的录音显示，这个人几天前与蜀山有过接触！查，彻查！每一分钟的行踪，每一个可能接触的人物，无论是在家里，还是在街上，只要此人出现过，就逃不过遍布全市各个角落的监控。据统计，在这个城市，每个人一天从外出工作到回家，至少会被监控镜头捕捉到 77 次。

利用这些监控图像，调查组生生地还原了瓦加死亡前一周的全部活动情况。

而刘禹州，不出意料地被他们从这些情报中捞了出来。

这个男人，有重大嫌疑。

画面中，刘禹州和瓦加惊喜地拥抱在一起，全然不顾街道上其他行人的异样眼光。

他是谁？

画面调出，放大，清晰化……

在 FBI 的全力发动下，一张大网向着还在洛杉矶隐居的刘禹州铺天盖地地罩来。

刘禹州躲在自己的公寓，坐在沙发上，对着自己的手机犹豫着。

他的手机上显示着 4008-517-527 这个号码。

从一年前，这个号码就经常被他调出。有好几次他都忍不住想拨出去，但最终没有行动。这一次他终于按下了通话键。

您拨打的号码是空号……

手机中传来这样一个声音，是熟悉的中文女声。

"呼……"他好像放下了心中一块大石头，长出了一口气，绷紧的神经瞬间松弛。

刘禹州苦笑，放下手机，心里说不上是一种什么滋味，既有些惆怅，又有几分欣喜。这样的结果，对他而言似乎就是一直所期盼。

他看看眼前，茶几上摆放着一溜道具——折叠整齐的工作服，一双无指手套，一部手机，一支银色的签字笔。

这些都是人生快递的标准装备，是被他拐带出来的全部。

利用它们，他挣到了很多钱，足够他这辈子生活的。

利用它们，他满足了不少人的需要，各种奇珍异宝，各种绝密级别的文件资料，各种无法见光的交易证据……被他安全地送到全球各个角落，交易内容牵涉到王室内幕、财团倾轧、政府阴谋、经济纠纷等等。

利用它们，他也带给许多人死亡，大名鼎鼎的政客、称霸一方的黑道枭雄、财产无数的资本家、纵横江湖的杀手……

从他开小差，在出业务的过程中卷走公司道具出来混了六年了。他的生活充满各种刺激，刀光剑影、尔虞我诈、吃人的阴谋与不吐骨头的暴力。

他享受着最好的生活，住豪华的酒店，开最昂贵的汽车，玩弄各种肤色的女人，出没在世界各国最漂亮的度假胜地。

他也没忘了给自己的父母买一栋别墅，存上一笔巨款养老。可惜，这些来源不清的东西老人家都没有接受。

苏苏在他的援助下，已经成为一个小有名气的天才小画家，在网上专门开辟了一个展示空间，向这位不肯暴露身份的赞助者表示着谢意。在展示空间中，陈列着几幅画，全部是苏苏小时候画的，与刘禹州有关。每隔一段时间，那些画就会增加一幅，立方体大叔在各种场景中出现。刘禹州可以看明白，都是自己曾经经历过的场面。果然，苏苏是和自己有着某种神秘的灵魂联系。但从无人能够推断，这些画和失踪的刘禹州有什么关系，和这位幕后赞助者又有什么关系。

刘禹州在空间里频繁地留言，以各种伪装的身份鼓励小苏苏好好学习，快快长大。他的每一次留言，苏苏都会认真地回复，不管他留言的身份是什么，就像冥冥中苏苏可以看透他的一切伪装，只是聪明的苏苏并没有揭破。

刘禹州决定从今天起，再也不去动用这些装备了。就让蜀山快递成为历史吧，像人生快递一样，只存在于自己的记忆当中。

他的手指在这些装备上轻柔地滑过，像抚摸自己的孩子一样。在刚才，他是真的动了念头，想把这些装备还回去的。只不过，电话没有打通。这个结果也算是他想要的。是不是很矛盾，他既想这样，又想那样。反正怎样他都无所谓，都觉得可以接受。他已经厌倦了这一切，就是找个理由结束而已。

"哪怕是被片儿尖抓回去，也无所谓了。"他想，这本来就不该是自己的人生。

这六年来，他终于认清了这一点：不属于自己的力量，让窃取这一切的自己在邪恶的道路上越走越远。而在使用力量的同时，却根本体会不到人生的快乐所在。更痛苦的是，他明明清楚地认识到这一切，却无法回避。他很想去做点善事，但除了捐钱给慈善机构之外，找不到更合适的方式。即便是捐出银钱无数，却依旧不能让他有什么成就感，本来就不该是他的，用出去也得不到自我肯定。替天行道，行侠仗义，不是那么容易。

有无数个夜晚，他独立于都市最高建筑之巅，放眼满城灯火辉煌，与星空交相辉映，天地悠悠，孤独往来，都不知身在何处，又去向何方，只会感到自己与这个世界格格不入。

他不敢跟其他人过多地交往，其实他基本没什么社交。深恐时间长了被别人识破自己的伪装。他没有朋友，连同事也没有，更谈不上谈恋爱。他警惕地观察每一个试图接近他的女人，每一次都大失所望，这些女人无一不是冲着他的钱来的。而不关心他财产的女孩，却对他没什么兴趣，他也不敢放开了去追。哪怕有数不清的封面女郎、电影明星在他床上屈意承欢，他也不觉得有什么快乐可言，甚至，有些厌恶。

"也许就这样告别过去是最好的选择，假如真的可以的话，做个普通人吧，就这样。"刘禹州看着那双手套，自言自语，"自己这前半生，过得有些失败。"

在那双手套的旁边，放着一个大信封——人生快递专用的信封。信封上写明了要送达的地址和收货人——××煤矿地下三百米矿井深处，王三汉——这正是他潜逃之前没有送出的那单业务。

信封背面附着王三汉所在位置的空间坐标。这些年来，刘禹州一直都没有忘，甚至拿它作为自己的银行密码。

每次看到这个信封，刘禹州心里都有说不出的感受，有些愧疚，有些不安。好几次，他都想把这个信封丢掉，但最终没有下手。这或许将是自己和过往生活的唯一联系了。

在信封边上，是手机。黑色的手机，看起来还像新的一样，没有任何岁月的磨痕。

刘禹州拿起手机，调出了那首曾经铃声——邦乔维的 It's my life。

熟悉的乐曲，响起在耳边。这首歌他已经很久没有听了。现在他的手机铃声是《征服天堂》。

刘禹州从自己的胸前口袋里掏出那个小小的玉猴，托在掌心，还有就是这个东西了。转了一圈，还是回到了自己的手里。

第一次是没有送出去。

第二次送出去了却又强行抹杀了小林的记忆，也相当于没送。

第三次，自己又把它要回来，准备当个纪念。同样，小林还是什么过程也没有记住。可能在小林的记忆中，根本就不会有这个东西的存在。

"自己当年还是太冲动了，"刘禹州苦笑，"不敢表白也就算了，为什么还要把它拿回来？骨子里还是有不甘？真是幼稚得可笑。"

"我该怎么处理它呢？"他有些难以决断。这根刺一直深藏在心里，让他始终无法释怀。

轰隆！突然间一声巨响。

刘禹州被从天而降的一颗震爆弹震翻在地上。

噼里啪啦……阳台那面的玻璃窗被冲破，几名全副武装的突击队员如狼似虎地冲了进来，手中的枪齐齐指向他的脑袋。

刘禹州被震得耳鼻出血，晕头转向，趴在地上，艰难地转过头，看向窗外。

此时的他，大脑却无比清醒。似乎对这个结局早有预料。哈，果然，天道好还，没有能逃得掉。

这就要结束了吗？他想到了自己被抓的后果，无论从哪个角度讲，自己都不会有活着的机会。死亡对于他而言，已经是最好的结局。最怕的就是被半死不活地整去做研究切片。

他打了个寒战。不过，在他心里，涌起一个强烈的愿望：不行啊，我还有一个愿望，无论如何，无论什么代价……

他眼前一片光芒闪烁，看什么都是重影。耳朵里嗡嗡响，似乎有人在喊叫什么，他听不见，也不想听。IT'S MY LIFE……那看破人生的呐喊，不断地在他脑海中激荡。

他费劲全身力气睁大双眼，突然看到，窗外那圆圆的月亮上，浮现出一行字来：

人生快递！快递人生！
我们，传递希望的专业人士！
服务热线：4008-517-527

"哈哈哈哈哈哈……"刘禹州笑了，哈哈大笑，仰天狂笑。浑然不顾几根枪管顶在脑门上隐隐作痛。

"我要送快递！把这个送到小林的手里去吧！告诉她，我爱她！我愿意付出任何代价！"他对着空中大喊。他的掌心，紧紧地攥着那个小小的玉猴。

时间，在那一瞬间暂停。

眼前的白光越来越亮，几乎照得他睁不开眼。耳边响起那个熟悉万分的声音，Q姐的声音，听起来还是那么呆板："我们是人生快递，乐意为您效劳……"

白光轰然爆发，让他不得不彻底闭上双眼！

"我要送快递……"他喃喃地说道。那一时间，他心中充满喜悦。

有人生快递真好！

第五章

殊途同归

　　刘禹州端详着手中黑桃八最后交给他的
那部手机。屏幕上，同样显示着一段文字，与
那段墓志铭一模一样。这，大概是师傅一生的
座右铭吧。

1

白光散尽。

It's my life 的歌声从他的手机里响起，在空旷的巷道内回荡。

刘禹州慢慢睁开双眼："哎，不对啊，怎么回事？我这是在哪里？怎么周围一片漆黑！"

他仔细打量一下周围。他正举着手机呆立在那里。

手机！刘禹州眼前那部手机在一闪一闪地发着微弱的白光，看样子就要没电了。四周是粗糙的岩壁巷道、满地的碎石。这不是那个地下矿井吗？自己来送那盏矿灯的地方。

"我怎么回到了这里？也就是说，刚才自己是在做梦？还是我现在在做梦？"

刘禹州使劲摇摇脑袋，确定自己是清醒的状态。"难道刚才是在做梦？那一切都是我的梦境？有这么真实的梦吗？"

"不用想了，你刚才就是在做梦。"一个声音响起，是黑桃八。黑桃八举着手机从黑暗中走了过来。

"师傅！你怎么会出现在这里？"刘禹州惊喜地喊。再次看到师傅那熟悉的身影，让在梦境中经历了大起大落的刘禹州有一种找到亲人的感觉。

"我当然是来找你的。这半个小时，我一直在尝试联系你，总算是打通了你的电话，这不，我听到你的铃声就找过来了。"

"找我？我刚才……是呼叫了人生快递……不对，我刚才是在做梦！"

刘禹州脑力激荡，像过电影一样飞速地倒带，终于找到了那个记忆深处的片段，和现实的连接处——自己想着利用手机与公司断网的机会，逃走，试图打开空间门，手机上白光一闪，然后……

"那个时候我是睡着了吗？那后面的一切都是我的梦境？我在梦里过了六年？可是，这个梦真的好清晰啊，就像真的一样。"自己干的每一件事都可以清晰地回想起来，包括很多细节，卷跑了公司的工具，四处游逛，以蜀山快递为名的各种业务，包括后来转变为死亡快递，那一件件一桩桩的事件，都真实地浮现眼前；甚至连这六年中自己每一次重大的心理变化，如何从意气风发到迷茫懒散，再到空虚忧郁，直到厌倦人生……种种思虑，万般转折尽入心头。

"原来，这一切只是个梦啊。"刘禹州悠然地叹了口气说道，看起来我并没睡多长时间。

"你睡了一个小时，应该在梦里过了六年。恭喜你成功地从轮回梦境中摆脱出来，通过了考验。你现在就是公司正式的员工了。"黑桃八拍拍刘禹州的肩膀说道。

"什么……轮回梦境是什么？"刘禹州茫然地说，"这个是一种考验吗？"

"对，你刚才的梦境，实际上是公司为你特意设计的。或者说，是你自己主动选择的。它直接针对你内心潜藏的本我，让你按照最真实的本我想法构建一个属于你自己的世界，并在其中生活。这个梦境，会根据你的心态变化自行进化，积极与你互动，你会在其中经历时间的洗涤，让你的本心得到彻底释放。"

"你在其中选择的生活方式，就是你最希望的生活方式。公司会根据你的选择，来确定你是否能够成为公司的一员。"

"我的选择？"刘禹州苦笑地说，"你都不知道我在梦里的选择。"刘禹州暗想自己可是在梦里卷包跑路了。

"那不重要，重要的是你自己醒来。按照这个轮回梦境的设定，只要能够自己醒过来的，就证明通过了梦境的考验。如果你在一百分钟内不能醒过来，那我会出手把你叫醒。同时，你将失去进入公司的资格。"

"是考验吗？"刘禹州回想起梦境中的一切，似乎明白了什么。

"也就是说，是在拷问我的本心，是不是能够认清什么是人生的真实意义吧。虽然我现在还有些不太明白，但我应该确定，师傅，我很想做好人生快递的业务员。我觉得，这个应该是一件很有意义的事情。我愿意用我这一生来做好它。"

"那就好。"黑桃八欣慰地说道，"其实这个考验不应该在这个时候出现，按照常规，应该在你待在公司的时候进行。不过，因为这里地磁爆发，干扰到你的手机，让系统出了点问题。还好我及时赶到了。"

"师傅，你以前也经历过这个考验吗？"

"当然。每一个加盟公司的员工都要经历。不过，至少有百分之八十的人通不过。我当年……"

话音未落，地面忽然剧烈抖动起来，几乎让人站不住脚。四周的碎石缝里啪啦往下掉。一阵轰隆隆的闷响从地底深处传来。

有地震！刘禹州和黑桃八连忙蹲下身，稳住身体。

这地震来得快，去得也快。短短的几秒后，四周围又恢复了平静。两人面面相觑，都是一阵心惊肉跳。

"我们赶紧离开这里吧。"刘禹州说道。这时候，他的手机发出滴滴的报警，闪动两下，最终屏幕一黑，完全没电了。

该死！这个时候没电！

"启动轮回梦境是很消耗能量的，先等一下。"黑桃八拉着他的胳膊说，"有你的货物，请你签收。"

"什么？什么？有我的货物？"刘禹州怔怔地看着黑桃八，感觉他不像是在开玩笑，"我没听错？我就是送快递的，还有谁送快递给我？"

"这个不矛盾。"黑桃八似乎听到了他的心声，说道，"我们也是人哪。有人委托，自然就有你的货物。请签收。人生快递，我们是专业人士！"

"好了师傅，你就快点吧，这词我熟。"

黑桃八嘿嘿笑着，拿出一个大信封递给他说："签字，笔你自己有！说起来，还要感谢这位委托人，要是没有她的委托，我要找到你还很麻烦。公司的资源不足，只有在业务委托系统里，才能全力搜寻定位。你这个位置其他系统里根本无法精确定位，要找到你那可就费劲了。"

"是业务安全保障系统吧！我早说这个公司劳动保护做得不到位。这么重要的系统都不能保障运转，真不拿我们业务员当回事。"

刘禹州签字，打开信封。

白光闪过。一个小巧的玉猴轻飘飘地落在他手中。

"这个，是……！"刘禹州惊讶地喊道，眼前浮现出那个高挑美丽的身影。

"嗯。是那个小林姑娘呼叫了我们的业务。"

"小林？"

时光倒转，就在刘禹州的手机与公司失去联系的时候。

在那家孤儿院里，苏苏突然从床上坐起来。

她看看同寝室的小伙伴都还在熟睡中，就迅速穿好衣服，蹑手蹑脚地跳下床，从枕头底下拿出了自己的宝贝画本，再穿好鞋子，踮着脚尖来到门口。她推开门，在昏黄灯光照耀下的走廊里一路前行，顺利地通过值班老师所在的门房，钻进了楼道顶头的杂物间。这里的窗子上少了一块玻璃，足够让瘦小的她钻出去。

很快，她就成功地爬出了窗外，沿着平房后面的小路，来到小操场上。

这天晚上是个阴天，四下里黑洞洞的，天气有些凉，苏苏单薄的衣衫有些耐受不住，不由得打个寒战。

她选择了一棵小树，在树下站好，开始按照她从刘禹州那里感应到的方法，呼唤那个神奇的号码。

4008-517-527

"你好，这里是人生快递，请问您有什么需要效劳的？"

那个号码拨通了，一个低沉的女声在苏苏的心底里响起。

"呜呜呜啊啊……"苏苏张着嘴，吐出一些无意义的声调。不过没关系，这种意念之间的通讯并不依赖语言。

"哦，你好啊，是苏苏啊。听小刘介绍过你，还说过几天去看看你。"Q姐和蔼地笑着和苏苏打招呼，"你有什么事情吗？"

"呜呜啊啊……"

苏苏比画着，也不管Q姐是否能看得见，小脸上显露出十分焦急的神色。

"是啊，我们也知道了。你别着急，草花七……就是你刘叔叔确实是跟我们失去了联系，我们正在想办法，我们一定会把他救回来的。"Q姐安慰她。黑桃八在一边听着，无奈地摇头。一出事他就被Q姐召唤回来，只不过面对如此局面，他也是束手无策。

苏苏对着空中挥舞画本，又呜呜地说了几句。

"我们也很想啊，不过那个地方很危险，不能带你去。"Q姐也正在为怎么联系刘禹州而头疼。这种突发事件以前也发生过，不过，当时公司的资源还比较丰富，有足够的能量提供，所以并没有费多大力气就重新与失踪的业务员联系上了。但是现在，随着公司业务的萎缩，很多系统功能都因能量不足而瘫痪。更何况刘禹州身处的环境特殊，是地下三百米深度，空间定位无法确定，想再次和刘禹州联系上就变得非常困难。尤其是系统提示，刘禹州居然被动地进入了轮回梦境之中，这就让他的处境更加危险。在没有看护的情况下进入轮回梦境，后果很难预料。

可怎么才能找到刘禹州的坐标呢？

"除非……有另一个委托发生，目标收货人同样是那些被困的矿工。可这种事情，确实太难得了。或者是有个委托业务，让刘禹州作为收货人！"Q姐在安慰苏苏的同时，眼前一亮，想到了这个主意。

"后来呢？"刘禹州紧张地问。

黑桃八说道："苏苏是个好孩子，也是个非常聪明的孩子。她听懂了Q姐的要求，就主动要给你发送委托。"

"那……为什么……"刘禹州有些糊涂了，看看手中的玉猴。

"只不过问题还是出来了。苏苏和你有某种灵魂上的联系，公司的系统判定，你们是一体的，灵魂共生，也就是说有部分灵魂也属于公司内部员工，不能适用公司的业务规则。"黑桃八有些无奈地说。

"这是什么破系统！我人都要死了还玩这套，这不是草菅人命、官僚主义吗？师傅啊，这种落后的系统咱们还不赶快升级？"刘禹州义愤填膺，觉得自己被一个系统玩弄于股掌之间，很没面子。

"是啊。"黑桃八也对系统的僵化很不满意，说，"Q姐答应了，这次业务做完，回去咱们就开会研究这个问题。"

"还开会……那还是算了吧，我就知道这事会不了了之。"刘禹州气愤地问，"那后来怎么样？"

黑桃八看他一眼，手机灯光下，满脸的热切，显然是盼着听到他想要的那个故事，忍不住想鄙视，但现在的情况不允许，还是抓紧时间说吧……

苏苏很沮丧，觉得自己在这种时候没有帮上忙，很是没用。

Q姐赶快安慰她说："苏苏啊，你别着急。你手里有没有刘叔叔留给你的，他最宝贵的东西？有这种东西我们也可以尝试着去定位的。"

苏苏睁大了蒙眬的泪眼，仔细考虑了一下，忍不住再次哭泣，她还真的没有。她手里倒是有很多东西，玩具、书籍、画笔、课本、文具、衣服……可那都是刘禹州买给自己的，不是刘禹州用的，更谈不上最宝贵……

哎？苏苏突然想起来什么，把自己的画本打开，翻到了后面一页，也不管在另一个空间的 Q 姐能否看到，就呜啦哇啦地说起来。

那一页画面上，画着的正是刘禹州把一个小玉猴放在一个女孩手中，那个女孩的模样，依稀可辨，是一身警服的小林。

"然后呢，然后？"刘禹州瞪大眼睛，下意识地揪住了黑桃八的胳膊。

"你别激动。"

"我当然得激动。"刘禹州叫嚷道，"你得理解我，师傅。"

"好好，理解，理解。后来我就出马啦。"黑桃八脸上浮现出一丝欣然的笑容。

"我带着苏苏，大晚上的，敲开了那位小林姑娘的房门，还好啊，她晚上一个人在单位值班，省了很多麻烦。"

"她……"刘禹州想起在梦境中，再见小林也同样是在值班，很想问一句，"她是不是结婚了？"但随即醒悟，那个是梦境，是梦境。尴尬地一笑，闭嘴听黑桃八的。

这一天晚上，小林独自在单位值班。本来这一周不是她的班，不过最近事情多，单位人手不足，她就主动留下来帮忙。

她坐在办公室里，总觉得有些心绪不宁。但又找不出原因。这让她十分纳闷，还以为是自己这几天太劳累引起的。看看表，已经十二点多了，干脆就靠在椅子上闭目养神，想缓一缓，再接着干活。一闭眼，脑子里思绪纷乱，各种事情纷至沓来：一会儿是工作上的事情，哪几个案子需要处理，领导找谈话要怎么应对……一会儿是家人，父母的身体，对自己的说教，还有对自己婚姻问题的唠叨……一会儿又看到那几个钻石王老五，殷勤含笑，小鬼游街一样地晃来晃去……

还有一个小小的玉猴！这个东西出现得莫名其妙，到现在她也不知道是怎么到自己手里的。但隐约中，她感到这个东西对自己万分重要。而最不可思议的是她一想起这个玉猴，总会同时想起那张阳光灿烂的笑脸——刘禹州！

她承认，自己忘不掉他。虽然，那一次很决绝地和他把关系挑明，但她非但没有觉得解脱，反而更加深陷其中。越是想忘掉，就越是记忆深刻，越是觉得自己在走向一条错误的道路。

每到夜深人静，她实在觉得纠缠不清之时，就会强硬地自问自答，把刘禹州的所有劣势一一罗列：没钱，没地位，工作不好，家庭条件一般，长得不帅，还不求上进，总是一副得过且过的样子，看了就让人心烦。谁嫁给他就倒霉去吧。然后硬逼着自己睡觉，不再去想。

可这样的灵魂切割，一次比一次效果差，甚至是反效果。那个善良、爱好广泛、乐于助人、幽默乐观的人物形象，就一次次地被她自我放大，更加地深入心底。

"我这辈子真是欠他的。"小林哀怨地想。她睁开眼，从脖子上扯出一根红绳，那个玉猴被红绳拴着，挂在颈间。早知道就不该用那个有男朋友的借口了，这下搞得自己非常被动，难道还要再拉下脸主动倒贴？想都别想！

她举着这个小巧的玉猴，眯着眼，和它对视。似乎想问问它，到底是不是那个人送来的？

忽然，门外响起了敲门声。

小林很奇怪：这个时候会是谁。

"请进。"她喊了一声。

门被推开，当先跑进来的是苏苏。她三蹦两跳地就窜到办公桌后面，抱住了小林的胳膊，笑容灿烂。

"啊呀，是苏苏！你怎么来了？"第一反应是惊讶，转瞬间警察的职业素养就让小林感到有蹊跷，迅速抬头注视着随后进来的黑桃八。

"你好，我是人生快递。"黑桃八很有风度地向小林微微颔首，反手把门关上，"自我介绍一下，我是黑桃八。很抱歉这样唐突地打扰你，来这里找你，是有件事情想获得你的帮助。希望你能给我几分钟时间，让我把事情说清楚。"

"人生快递？黑桃八？"小林站了起来，上下打量着这个奇怪的老男人。直觉上，她感到有些事情——改变她一生的事情要发生，更可以肯定的是，这个人和刘禹州有关；这件事，和刘禹州有关。

她再看看苏苏，小姑娘满脸期盼地望着她，苏苏好像长大了一些。也是，这几个月来，自己忙着工作，或者说是因为刘禹州的关系，连带着对这个小姑娘也关注得少了，有三四个月都没有看到她。小林想起苏苏的身世，面对这个坚强的小丫头，心里充满了自责，抬起手搂住苏苏的肩膀说："请说，有什么事情要我帮助？"

"小子，你运气不错。"地下三百米深处，黑桃八这样说，语气满含着艳羡。

"人家可是二话没说就答应了。甚至，愿意用自己全部的财产来换取救你的机会。"黑桃八继续说，"看得出来，人家对你是真的有情意！你呀，运气好，比我当年，可是强多了。这姑娘，我看行。"

刘禹州眼眶禁不住有些湿润了，眼前浮上小林那略带娇嗔的笑脸。

"你终于明白了？你终于知道我为什么不敢主动追求你的原因了？"刘禹州心想。不过，他转眼间又想起来什么，赶紧问道："那师傅，这样的话，还需要消除她的记忆吗？这个可是咱们公司主动找人家……"

他很怕黑桃八说出一句他不想听到的话来，心里别提多纠结了。这要是再来个记忆消除，那自己不是白高兴了，这一切小林还是不记得啊。

黑桃八笑眯眯地看着他，等了半晌，吊足了他的胃口，才说道："那是当然……不能了。公司有规定，类似情况，需要特别处理，将目标委托人列为公司特聘顾问，享受公司正式员工待遇。当然，她也需要与公司签订协议，保守公司的秘密。"

"耶！"刘禹州兴奋地跳起来，挥舞着拳头。前途一片光明。哪怕是身处在无比漆黑的地下矿井里，他都觉得四面八方全是阳光普照。按照修真界的说法，那就是念头通达了。

"哎，师傅，那公司就没想着给打个折？"解决完这重大的闹心事，刘禹州的脑子立刻就好使了，马上就到了另一个重要问题上，"好歹这是公司家属啊，不说免费，也得优惠个一折啥的吧。不能让我这样的老实人流汗流血又流泪啊。"

黑桃八很不解地看着他："小子，说你胖你还就喘，人家现在跟你一点关系都没有，你倒会算计。"

"嘿嘿嘿，这不以后就是一家人，她的钱不就是我的钱嘛。"

黑桃八不理会他的胡言乱语，掏出手机来看看："冷却时间差不多了，可以再次启动空间门，咱们赶快离开这里吧。这里的地磁活动很剧烈，不安全。"

"哗啦！"似乎是在给黑桃八的说法找注脚，不远处一块大石从巷道顶部砸下，发出一声巨响，激荡起满地的粉尘和碎石。

"快走，这里要塌方！"黑桃八不再开玩笑，猫着腰，举着手机沿着巷道向一边行进，"找个安全地方，我开门。赶紧撤退。"

刘禹州把玉猴揣在怀里，跟在黑桃八身后。

找到一个稍微平坦的地方，黑桃八站定，就打算给手机输入信息。

这时，刘禹州忽然伸手拉住了他："师傅，先等等。"

黑桃八停下动作，扭头看着刘禹州，一脸疑惑。

刘禹州艰难地从怀里掏出一个大信封："这个，我还有一项业务没有完成。"

黑桃八看着他，他也平静地看着黑桃八，手里稳稳地托着那个信封。

"好吧，我的手机借给你，你来开门，你还记得坐标吗？"黑桃八说道。

"××××××××××"一串熟悉的数字从刘禹州嘴里脱口而出。

2

地下三百米，被倒塌的碎石堵塞的巷道内，一群矿工筋疲力尽地倒在地上，相互依靠着，静静地等待，等待着救援，或是等待死亡。

他们都是老矿工了，稍微判断一下形势，就知道，除非有奇迹发生，不然在救援队打通塌方之前，他们这几个人就会因为缺氧窒息而死。虽然大家都心有默契地不说出来，但一种浓重的悲凉气氛已经笼罩在这个小团队之间。沉重的呼吸声，是这个黑暗空间中唯一可闻的声息。大家开始默默地找纸笔，随便写点什么，哪怕是几个字也好，留给自己的家人。只可惜这种期望在这里也是一种奢望。很快，众人就都放弃了这个打算，干脆等死。

就在这个时候，一团光芒出现在巷道的深处。

"是谁？"黑暗中响起一片惊呼。

显然，在这漆黑的地下，刘禹州手中的手机光屏就像太阳一般耀眼。

刘禹州举着手机，艰难地在脚下碎石堆中蹚出几步，远远地向那个方向挥挥："别紧张，我是来送快递的！"黑桃八默默地跟在他身后，打量着眼前的这些人。

送快递？这个说法显然大出对方意料。有到塌方事故现场送快递的吗？

刘禹州慢慢走近，手机屏幕灯光充其量能够照射到他身前一米。隐隐约约，他看出那边黑暗中有几个人影，或坐或卧，聚集在一道塌方的石壁前。

刘禹州用手机挨个照过去，一张张麻木的脸出现在他眼前。距离事故发生已经接近十个小时，这些被困矿工的生理和心理都到了一个极限，已经没有一个人能站着了，就是说话也十分困难。虽然这个从他们身后出现的人无比奇怪，但他们已经完全顾不上惊讶，或者说没有力气惊讶。

不过，突然出现的这个亮光，让他们看到了一份希望。一个矿工挣扎着从地上坐起身，颤抖着声音问道："你……你是救援队吗？你从哪里进来的？我们是不是可以出去了？"

刘禹州心中闪过一丝不忍，追问自己是不是该做点什么？但转瞬间，他耳边又回响起公司的那条规定：我们不干预社会的正常秩序，也不干扰目标人物的人生轨迹。

"唉！这是你们的命运，和我无关，我只是送快递的。"思想斗争了片刻，他这样对自己说。

"你好，我是人生快递。请问您就是王三汉先生？"他问那个男子的同时，手机的自动对比系统已经确定了收货人身份。同时，他拿出灵法笔，随即散射出一阵电磁波，让周围不相关的人陷入昏睡。

那个说话的人抬着头，使劲挪动着身子，向手机光源方向靠近，喘着粗气，说："是我……"

"我是人生快递。这里有一份您的货物，请您签收。"

"什么？"王三汉的脸逐渐在灯光下显现出来，满脸的惊骇，瞪大了眼睛死盯着刘禹州。

刘禹州微笑着，把那个信封递上："请您签收。"

"是……是什么？"王三汉把目光转到那个大信封上，干咽了一口唾沫。

"您打开就会知道，我只是负责送货。"

刘禹州递上银色的笔。

"你……你是怎么进来的？有通道打通了吗？"王三汉没有接，嘴里喃喃地说，饱含希望的把目光再度转回到刘禹州身上。

"抱歉，这个不是我业务范围内的事情。"刘禹州回答，顿了一下，又说，"不过，我进来的时候，外边的人都在很拼命地努力救你们，请你们耐心等待。"这后面一句他说得就有些底气不足。

"呵呵……"王三汉惨笑了一声,往后靠在一块碎石上,仰头说道,"来不及了,我们坚持不了多久了……"

刘禹州皱皱眉,安慰道:"不要放弃,总会有奇迹发生的。"

"这里,空气越来越稀薄……"王三汉淡淡地说了一句。

这一点刘禹州早就从手机给出的环境分析中知道了。这里的氧气含量,顶多再支持这些人生存两个小时。两个小时,救援队是无论如何也打不开通道的。

那又怎样?刘禹州摇摇头,把心底的那一些恻隐之心全部收掉,只是递上那个信封:"请你签收。"

"他们……他们都怎么了?"王三汉向左右一看,忽然发现自己周围的同伴全都陷入昏睡,吓了一跳,大声地叫喊起来。

"没事,他们只是睡过去了,一会儿就会醒来,不要担心。"刘禹州说。

王三汉忽然把身子一挺,双手齐伸,一把抓住信封,也抓住刘禹州的手:"你……你是神仙!你有办法!你救救我们!你一定要救救我们!"

"我不是神仙!"刘禹州摇头叹息,把手挣脱出来。

"不,你是神仙。你怎么能进来的?你是超人!求你救救我们啊!"在希望面前,王三汉爆发出异常的力气,不等刘禹州反应,就直接跪倒在他面前,双手接着信封,死死地攥着,呜咽着恳求,"我……我不想死。我还想回家,想见我老婆,想见我儿子。还有他们,他们都有家人在等着呢,求求你想想办法,你是神仙,你是超人,你一定能救我们……"

"唉。"刘禹州无奈地叹口气,"对不起。我不是超人,我只是送快递的。这是你的货物,请你签收。"罢了,他又补充了一句,"这是来自你家人的委托,你还是早点打开看看吧。"

"也许这就是你最后一次收快递了。"这句话他没有说出口,只是在肚子里暗暗地嘟囔。

"啊！"王三汉身子一歪，坐到地上，眼神空洞，近乎绝望。

他近乎机械地拿起笔，按照刘禹州的指点，几乎是在刘禹州手把手地扶持下，才完成了签名。

白光一闪，那盏手提灯出现在他的手里。

"这是……"他惊讶地张大嘴巴，盯着这个铜灯，"这是我爸爸留给我的那盏灯！"他喃喃地说道。迅速用双手握住圆筒形灯座的两端，使劲地反方向拧动，咔咔的声响传来，如同给钟表上弦。

很快，这盏灯就散发出朦胧的月白色光芒，照亮了周围空间。原本并不夺目的亮度，忽闪忽闪的，在这漆黑一团的地下倒显得分外耀眼。

"没想到是这个！"王三汉拎着灯，呆呆地看着那一团光芒，浑然不管其他。

刘禹州暗自叹了口气："你们自求多福吧，我是帮不上你们什么了。"他按动灵法笔，转身而去，嘴里喃喃地说道。

刘禹州走出了十几米远，忽然站住不动了。他回过身来，迎着黑桃八说道："那些矿工……"他稍微犹豫一下，还是接下去说，"师傅，我们能不能把他们带出去？这里太危险了。"

"哦？"黑桃八看他一眼，灯光映照下，刘禹州的眼神显得分外坚定。

"为什么？"黑桃八饶有意味地问，"你不记得我说过什么吗？我们只是送快递的。"

"我们是送快递的。"刘禹州紧接着他说，"不过，我们叫作人生快递，不是吗？我们的宗旨是带给人希望，传递爱。可当他们陷入绝望的时候，我们怎能弃之不顾，背过脸去？师傅，现在这里没有什么恩怨是非，只是拯救，救一些无辜者的性命。这个跟公司的宗旨并不违背啊。"

黑桃八盯着他，认真地问："你确定要救他们？"

"我确定，我觉得我可以为他们做点什么。"刘禹州摸了摸自己的胸前，隔着衣服，似乎还能感觉到那个小玉猴的轮廓。

"呵呵，好吧，听你的。"黑桃八重重地点了点头，没有再多说什么。

刘禹州当先开路，领着黑桃八深一脚浅一脚地往回走，又来到那几名矿工身边。

此时，几名矿工都已经坐了起来，围拢在那盏矿灯前。灯光虽然昏暗，但每个人脸上多少都有了几分生气，不再像刚才那样死气沉沉，颓唐绝望。

"老哥你这灯是怎么回事？啥时候弄来的？"

"不知道啊，我也不清楚，就那么拿出来了。"

"真好，有了它我们起码能看清方向了。我们得找路出去。这鬼地方……"

"对对。我们赶快行动，看看有没有岔道。"

矿工们七嘴八舌地说着。有人看到了刘禹州和黑桃八。

"哎，你们两个，你们是什么人？是人是鬼？"

有矿工叫起来，伸手抄起了铁锹。这地方出现人，实在是太诡异。

那个提着灯的王三汉举着矿灯，照着对面来人，怎么都觉得有种熟悉感。他伸手制止了伙伴的躁动，喊道："哎！你们是干什么的？是救援队吗？"

"这个词怎么自己好像说过。"王三汉脑子里一阵恍惚。

"哗啦啦！"在巷道深处，又传来塌方的声音，附近的支撑杆发出一阵不堪重负的吱呀声。

"没时间细说了，小子，赶快！我来开门，你带他们走。"黑桃八皱眉道，伸手从刘禹州手中接过手机。

刘禹州点点头，冲着王三汉说："不要管我们是谁，我们是来救你们的。都跟着我，别问那么多。"

黑桃八双手一拍，将手机按在岩壁上。

白光闪烁，忽隐忽现。

黑桃八着急道："这地方地磁干扰强烈，很难定位。我只能把门开在附近百米的一个节点，你们动作要快，这门维持不了多久。"

说着，一道隐晦不明的空间门在黑桃八双掌之间开启："小子，你来帮我一下。"

刘禹州答应一声，跑到门的一侧，用双手按在门框上，两人合力把空间门稳定下来。

刘禹州冲着那几个矿工吼叫："你们赶快穿过去，离开这里！"

几个矿工惊讶地张大嘴巴，看着这超出常识的门，畏畏缩缩，谁也不敢过来。

"你们是什么人？这是什么？"一个矿工忍不住问道。

刘禹州满头大汗，心中着急，冲着王三汉喊："你，王三汉，你带头，赶紧过去，我们是来救你们的！"

王三汉咽口吐沫，举着矿灯，犹豫再三，还是迈步走上前，站在门口，咬着牙问："这个门，门后边是哪儿啊？"

刘禹州有些坚持不住，实在没想到救人还有这么累的，看对面，黑桃八的一张脸已经变得煞白，心中焦急，吼叫道："你抓紧时间，我们坚持不住了。你们不想在这里等死吧，那就赶快过去，门后是哪儿也比在这儿强。"

"哦。"王三汉这下反应过来，再不多说，头一个钻了进去消失在门内。有了带头的，其他几个矿工也跟了过来，一个个地钻进门里。

看着他们都过去了，刘禹州说："师傅，你先走。"他感到手臂上阵阵的酸麻，翻涌的力量，说明空间正在崩溃。

"呵呵，小子，少废话，你先。"黑桃八冷笑两声，突然伸长手臂，一把抓住刘禹州的胳膊，使劲一带，硬是把刘禹州推进门里。

"世界是公平的，想要做超出力量范围的事情，没有代价怎么行！好好活着，小子！"

"哎呀！师傅……"

眼前一花，五彩的光芒闪动，刘禹州一个跟跄从空中摔落，扑倒在地上。回头看去，那个空间门迅速地崩溃，缩小，消失……

就在空间门消失的一刹那，一部手机从里面飞了出来，掉落在刘禹州身上。

"没了？门没了！师傅，师傅还没出来！"刘禹州大吼一声，从地上蹦起来，在那岩壁上摸索，"开门，开门，师傅，师傅你听见吗？"

对了，要开门要开门。刘禹州按住岩壁，发动手套的空间破禁功能。

手套上传来反馈，没有坐标信号，无法启动。

"手机，我的手机。啊！没电了！师傅的手机，对，师傅的手机给我了！"刘禹州从地上捡起黑桃八的手机，捧在手里，愣愣地看着，"师傅把他的手机给我，他怎么办？对了，师傅知道我的手机没电了才把他手机给我的，他怕我出不去。"

"可师傅，师傅你怎么办？"

他迅速将黑桃八的手机与自己的手套连接，再次启动空间门。目标锁定为黑桃八。

"无法定位，无法定位。"一声声的提示，像冰冷的大锤一下下地敲打在刘禹州的心头。

轰隆隆！

又是一声巨响，发自于地下。巷道终于崩塌了。

刘禹州眼前一黑，仿佛看到了黑桃八，微笑着在那里向他招手告别，随即，黑桃八的身影被铺天盖地的黑暗吞没。

"师傅！"

在矿难发生二十个小时之后，以王三汉为首的七名被困矿工，奇迹般的从井下生还。当时，他们举着一盏昏暗的老式矿灯，从另一条废弃巷道中爬了出来，被救援队发现，成功解救。

他们依靠这盏灯在地下顽强地爬行了十个小时。这盏灯也成为一个奇迹的见证，被人们称为好运灯。后来矿上专门建了一个陈列室，隆重地将这盏灯收藏。但最为人称奇的是，这些矿工谁也说不出这盏灯到底是怎么来的，他们又是怎样从坍塌的巷道跑到那条斜向岔道里面去的。

最终，调查人员也只能把这一切归结为奇迹。

小林今天破天荒地没有去上班。昨夜值班的时候发生的那一切，让她始终无法平静下来。

她穿戴整齐，仍然是一身警服，坐在床边。她也不知道为什么在家还要穿成这样，只是下意识地觉得，只有身穿警服，才能稍微让心里踏实一点。

神秘的快递公司，神秘的黑桃八，还有苏苏那神奇的画。她一闭上眼，种种思绪就纷至沓来，出现最多的，还是刘禹州那种满不在乎的笑脸。

"也不知道他得救了没有？"小林揪心地想。当时她毫不犹豫地做了决断，也是直到那一刻，她才明白，这个她一直想忘记的男孩对她而言，有多么重要。可是他呢？他是怎么想的？是不是也同样爱着自己？

一想起这个，小林就忍不住地有些气愤："还是男人呢，一点主动性都没有。好吧，就算是因为工作的阻碍，可我并没有在乎你干什么啊，难道你主动表示一下就那么难？"

她烦闷地坐在自己的大床上，抱着加菲猫公仔，暗地里数落着刘禹州的不靠谱："等你回来，看我怎么收拾你！"

突然，她感觉到了屋子里有异常，抬头看去，却是刘禹州站在她的床前。

啊！她惊叫一声，第一反应和所有女生一样，紧紧地抱住加菲猫挡在胸前。无论她怎样英武，什么身份，本质上还只是个刚满二十五岁的女孩。

刘禹州站在那里，饱含深情地看着小林。逃离地下之后，他第一时间就想见到小林，毫不犹豫地动用了公司的工具，相信这个时候，这点假公济私的行为 Q 姐不会太在意。

"刘禹州？"小林不知道该问什么，下意识地说了这么一句没头没脑的话。

"是我。"同样是毫无意义的回答。

二人对视，都是一阵尴尬。明明是百转千回的思念，却又相对无言的沉默。

小林从加菲猫后面露出脸来，咬着嘴唇，盯着刘禹州，打定主意要等他开口了。

"那个……我……"刘禹州准备好了一堆说辞，却是一句也没用上。

刘禹州平复一下心情，这过去的一天的经历却让他感觉像是过了半辈子一样，如此清晰，如此漫长，以及如此令人感叹。

他脑海中再次浮现出在轮回梦境中的种种，画面变换，又浮现出和小林相识、交往的些许过程。在那一霎，他也不知道自己怎么会想起这么多的东西。

对了，那个玉猴。

刘禹州终于用坚定的手，将那个历尽波折的玉猴，递到小林的面前。

该说点什么？刘禹州脑子转得飞快，赶得上高铁的速度了。

他当然不会再矫情地说什么"祝你生日快乐"这种傻到没边儿的话。

该说什么？

"你嫁给我？"太直白太仓促。

"这是我的心意？"太面太没力度。

"我……我有一个故事，想当面讲给你，可以吗？"刘禹州鼓足勇气，终于把这句他想了一年的话，说了出来。话一出口，他顿时觉得思想通达，浑身舒畅。原来就是这么简单。

小林没有答话。

刘禹州举着玉猴，尴尬地站在那里，气氛变得越来越微妙了。

足足过了三分钟，在刘禹州看来，至少有半个小时那样漫长，小林一言不发地把玉猴从他手掌中抄起，低下头说了一声："你出去！"

"嗯？什么？"刘禹州刚有些兴奋，又被这句话搞得有些莫名其妙，"你说什么？"

"我说你出去，我要换衣服啦！"小林喊道。

两周之后的一个晚上。

位于松花江畔的一座小山上，起了一座新坟。

这座新坟位置很好，可以俯瞰到山脚下滚滚东逝的江水。在坟前，树立着一块石碑。碑上刻着墓主人的姓名和生辰：

李金东，生于 1953 年，卒于 2012 年。

在生辰年月之下，镌刻着一行小字：

我愿看到，人们的脸上充满快乐、幸福与希望。

刘禹州站在坟前，身边是神情肃穆的小林和苏苏。苏苏胳膊底下夹着那个大画本。

刘禹州端详着手中黑桃八最后交给他的那部手机。屏幕上，同样显示着一段文字，与那段墓志铭一模一样。这，大概是师傅一生的座右铭吧。

刘禹州对照着，看到一字无误，这才把手机关掉。蹲下身将它放置在墓碑前一个小坑里。然后用土把手机埋掉。

三个人并肩站立，向着墓碑三鞠躬。

"师傅，你好好休息吧。你看到了吗，苏苏也来看你了。她现在可是公司的预备员工呢。Q姐收养了她，现在她开始上学了。她还给你画了一幅画，现在挂在公司的墙上，供人瞻仰。"

刘禹州的眼泪在眼眶中打转，忍了半天还是无声地滑落下来。

小林靠紧了他，轻轻地抓住他的手，两人十指紧扣。

"放心吧，师傅！你想办的那个小学校我会替你完成的。"

"另外，我要结婚了，和小林。"

"我会做好一个人生快递的快递员。像你说的，我们是专业人士！我的人生，与众不同！"

磅礴大气的李斯特的《人生序曲》主旋律响彻云霄，表达着对人生意义的追索——

人生的旅程将是如何呢？人生是庄严、坚毅、伟大而又不平静的。

刘禹州接起电话，平静地说："有业务？"

一生中，能够拥有你不惜代价也要去爱的人，是幸福的；

一生中，能够得到这样的爱，更是幸福的；

而能够一生从事这份传递真爱的工作，同样是幸福的。

—完—